Recetas *sabrosas*

sin gluten

AUTORES: TRUDEL MARQUARDT, BRITTA-MAREI LANZENBERGER

HISPANO
EUROPEA

Indice

Repostería

Pastas navideñas

Panes y panecillos

APÉNDICES

Disfrutar sin gluten

Comida sana para celíacos

El peligro de los cereales , un alimento sano para la mayoría, pero un peligro mortal para los celíacos.

El trigo, la cebada, el centeno y el carraón son unos alimentos muy saludables. Pero algunas personas presentan intolerancia a estos cereales. La culpa de esto es del gluten, la proteína de los cereales. Si llega al intestino delgado, produce unas infecciones que pueden llegar a ser mortales para la persona. La enfermedad celíaca (o celiaquía) es especialmente frecuente en los niños. Pero esta intolerancia al gluten de los cereales también puede aparecer repentinamente en los adultos. La causa exacta todavía no está muy clara, pero el único tratamiento que se conoce es adaptar la dieta de por vida. Esta guía le solucionará todas las cuestiones referentes a una alimentación sin gluten a la vez que le ofrece todo tipo de consejos y sugerencias para cocinar y hornear sin gluten.

Celiaquía.
Cuando los cereales
nos hacen enfermar

¿Celiaquía o *sprue*?

En 1888, un médico inglés describió la enfermedad de un paciente infantil y la denominó *coeliac affection*, por el vocablo griego *koilia*, que significa vientre. De ahí deriva el nombre castellano de celiaquía.

Sin conocer cuál era la causa de la enfermedad, se intentó variar la alimentación sometiendo a los pacientes a una dieta de plátanos o a una de frutas y verduras. Finalmente, en 1950, un equipo de pediatras holandeses descubrió que la enfermedad estaba producida por el gluten de los cereales. Ese equipo descubrió que la enfermedad de adultos que se conocía como *sprue* tenía el mismo origen. En el *sprue* se diferencia entre el «sprue local» y el «sprue tropical», ya que se trata de dos enfermedades distintas.

El caso es que ambos nombres hacen referencia a una misma enfermedad: la celiaquía de los niños y el *sprue* de los adultos. En Inglaterra no hacen esta distinción y hablan exclusivamente de *coeliac disease*. En el resto de Europa también se tiende a hablar únicamente de celiaquía.

¿Qué es el gluten?

Los cereales contienen hasta un 15% de proteínas. En el trigo, la cebada, el centeno y la avena, esta proteína es casi exclusivamente gluten. Esta fracción, conocida también como proteína aglutinante, es la que proporciona elasticidad a la masa. Por esto, las harinas ricas en gluten son especialmente adecuadas para hacer pan y bollería. Pero el gluten no se encuentra solamente en los cereales y productos derivados, sino también en muchos alimentos preparados. Dado que retiene agua y actúa como emulgente y estabilizador, encuentra infinidad de aplicaciones en la industria alimentaria.

El gluten recibe un nombre específico en función del cereal en que se encuentre:

➤ Cereales	➤ Gluten
Trigo	Gliadina
Centeno	Secalina
Cebada	Hordeina
Avena	Avenina

¿Qué les sucede a los celíacos?

Las personas que tienen la enfermedad celíaca reaccionan con una intolerancia al gluten, la proteína aglutinante. Si el gluten llega a su intestino, se activa el sistema inmunitario y se produce una alteración de la mucosa intestinal. La superficie de la mucosa queda dañada y ya no se puede volver a regenerar. Esto hace que no se puedan asimilar bien los alimentos, y produce una falta de nutrientes y energía. El sistema inmunitario permanece siempre activado y el organismo tiene que luchar constantemente contra el agente causante de la enfermedad.

¿Cómo se adquiere la celiaquía?

La propensión a la celiaquía es hereditaria, pero los genes no son los únicos responsables de que se declare la enfermedad. Se ha comprobado que un 70% de los gemelos univitelinos presentan los síntomas de esta enfermedad. En los hermanos genéticamente muy similares se llega al 40%, y es del 10% entre las personas con un parentesco de primer grado.

Si se tratase de un problema exclusivamente genético, la frecuencia en las familias afectadas debería ser superior. Esto significa que la predisposición es hereditaria, pero que deben intervenir otros factores secundarios.

La enfermedad puede manifestarse a cualquier edad. Generalmente se diagnostica en niños pequeños que manifiestan los síntomas característicos cuando consumen sus primeros alimentos con gluten. En los adultos suele manifestarse entre los 30 y los 40 años. Sin embargo, dado que entre la aparición de los primeros síntomas y el diagnóstico de la enfermedad pueden transcurrir años, muchas veces resulta difícil establecer cuándo empezó realmente.

¿Con qué frecuencia aparece la celiaquía?

Las cifras sobre la difusión de esta enfermedad oscilan mucho. En Europa Central se habla de una frecuencia del 1:1000. Sin embargo, dado que muchos de los síntomas no siempre se reconocen como celiaquía, algunos expertos temen que la enfermedad puede afectar a 1 de cada 300 habitantes. Esta cifra corresponde, por ejemplo, a la difusión de la enfermedad en el oeste de Irlanda. En China, Japón y África es una enfermedad prácticamente desconocida. Probablemente esto se deba tanto a la predisposición genética como otros hábitos alimenticios, con más arroz y menos cereales. Las mujeres enferman de celiaquía con más frecuencia que los hombres, aproximadamente en relación de 1,5:1.

La celiaquía de los bebés ha disminuido notablemente desde la década de 1970, ya que se les da de mamar durante más tiempo y se retrasa la administración del primer alimento con gluten. Lo que no se sabe a ciencia cierta es si así se reduce el riesgo de celiaquía o si simplemente se retrasa su aparición.

¿Qué factores influyen en la aparición de la enfermedad?

Dado que todavía no se sabe con certeza cuáles son las causas de la celiaquía, tampoco se sabe cuáles son los factores que pueden favorecer su aparición. Es de destacar que en los últimos decenios se ha apreciado un aumento en el número de casos de celiaquía, en parte con síntomas poco apreciables. La duda es si este aumento se debe a que cada vez resulta más fácil diagnosticar la enfermedad. Se especula si en el aumento de casos pueden influir algunos factores ambientales, los malos hábitos alimenticios, las infecciones o el estrés.

> ➤ **Consecuencias de una celiaquía no diagnosticada**
>
> - › Falta de hierro en la sangre (anemia)
> - › Ceguera nocturna
> - › Propensión a las hemorragias
> - › Dolores óseos / osteoporosis
> - › Raquitismo
> - › Edemas
> - › Calambres musculares
> - › Alteraciones de la menstruación
> - › Esterilidad, abortos o partos prematuros
> - › Depresiones
> - › Propensión a las infecciones
> - › Mala cicatrización
> - › Cáncer de intestino

Cómo reconocer las dolencias y reaccionar ante ellas

¿Es la celiaquía una enfermedad hereditaria, y cómo se hereda?

El riesgo de contraer la enfermedad celíaca está en los genes. Los estudios demuestran que en un 70% de los gemelos univitelinos, ambos enferman de celiaquía. Pero tener una propensión genética no implica que forzosamente haya que contraer la enfermedad. Aún no se sabe con seguridad cuáles son los factores desencadenantes.

¿Es la celiaquía una alergia o una intolerancia?

La celiaquía es una forma muy especial de intolerancia a los alimentos. La reacción del intestino ante el gluten activa el sistema inmunitario. La mucosa intestinal se infecta, las vellosidades intestinales se atrofian y las vellosidades nuevas no llegan a desarrollarse con normalidad. Esto hace que los nutrientes ya no se puedan asimilar correctamente.

¿Se puede curar la enfermedad celíaca?

Siguiendo una estricta dieta libre de gluten es posible conseguir que desaparezcan todos los síntomas de la celiaquía. Si se sigue correctamente la dieta apenas hay riesgo de que se presente una enfermedad secundaria. Pero, salvo raras excepciones, la intolerancia al gluten se conserva de por vida. No existen medicamentos que permitan curar o aliviar esta enfermedad.

¿Cuánto tarda en notarse una mejoría?

Esto depende del tiempo que haga que se sufre la enfermedad y de lo dañadas que estén las vellosidades intestinales. Pero si no se ingiere más gluten, el intestino se recuperará con bastante rapidez. Generalmente, al cabo de unas tres semanas ya se empieza a apreciar una mejoría. Pero el proceso puede ser un poco más lento en función de la constitución de la persona.

¿Cuáles pueden ser las consecuencias de una celiaquía que haya pasado desapercibida durante mucho tiempo?

Si la enfermedad ha estado mucho tiempo sin diagnosticar, el deterioro del intestino puede haber provocado estados carenciales. La carencia de vitaminas y minerales puede acarrear muchas consecuencias. En los niños puede producir daños irreversibles. También aumenta el riesgo de cáncer de intestino.

¿El organismo puede volver a regenerarse?

El organismo posee una gran capacidad de regeneración, por lo que puede recuperarse de casi todas las lesiones. Si se sigue una dieta totalmente libre de gluten, el intestino se habrá recuperado por completo al cabo de un año. Lo importante es ayudar al organismo en su recuperación y llevar una vida lo más sana posible.

¿Cuál es el riesgo de llegar a desarrollar un tumor maligno?

Si siguen estrictamente la dieta sin gluten, las personas con celiaquía no corren un riesgo especial de enfermar de cáncer. Es más, el hecho de tener que cuidar su alimentación puede ser una buena ocasión para iniciar una vida más sana. Por ello habría que procurar no cometer errores y tener en cuenta que la alimentación sin gluten es una prevención activa contra el cáncer.

Si llevo años sin notar ninguna molestia, ¿puedo volver a comer con normalidad?

Ni se le ocurra hacer experimentos por su cuenta o intentar comprobar si tolera los alimentos con gluten después de un largo período sin síntomas. Tenga en cuenta que la falta de síntomas es una consecuencia directa de seguir una dieta sin gluten. Probar alimentos con gluten podría provocarle una recaída y aumentaría el riesgo de cáncer de intestino.

¿De verdad es muy grave cometer de vez en cuando algún despiste con la alimentación?

Un sólo error en la alimentación podría provocarle una reacción inmediata de la enfermedad. Pero también podría ser que no se manifestasen síntomas evidentes. En cualquier caso, un fallo en la alimentación supone siempre una nueva lesión intestinal y un nuevo esfuerzo para el sistema inmunitario. Todo ello también hace que aumente el riesgo de producir un tumor maligno.

Práctica.
Vivir con la
enfermedad celíaca

¿La celiaquía es curable?

En principio no. Se conocen algunos casos de curación aparente, pero también podría ser que se hubiese realizado un diagnóstico erróneo. Si el diagnóstico es fiable, hay que contar con que la intolerancia se mantendrá de por vida. Los artículos y productos milagrosos que afirman lo contrario no son más que palabrería.

En los niños pequeños en los que la enfermedad se ha diagnosticado antes de los dos años de edad, a veces se ha observado una curación. Pero esto es algo que deberá ser comprobado mediante revisiones periódicas muy precisas, ya que el riesgo de producir daños es muy elevado. Siguiendo una dieta totalmente libre de gluten no se cura la enfermedad, pero se consiguen eliminar completamente sus síntomas.

Tratamiento: alimentación sin gluten

El único tratamiento posible para la enfermedad celíaca es una alimentación absolutamente libre de gluten. Por el momento no existen medicamentos. Sin embargo, en una fase aguda de la enfermedad disponemos de diversas posibilidades para aliviar la irritación de la mucosa intestinal y ayudar a su recuperación. Consulte a su médico de cabecera.

Dado que se sospecha que el estrés también puede tener algo que ver en la celiaquía, procure evitarlo siempre que pueda o aprenda algún mé-

> **➤ Síntomas de la enfermedad celíaca**

> › Trastornos digestivos
> › Diarrea
> › Heces desechas y grasientas
> › Gases
> › Náuseas
> › Fatiga
> › Sensación de estar enfermo
> › Depresiones
> › Falta de apetito
> › Ataques de hambre
> › Pérdida de peso
> › En los adolescentes
>   – retraso de la pubertad
>   – detención del crecimiento

todo que le permita tolerarlo mejor, como por ejemplo el yoga o el entrenamiento autógeno. Actualmente también existen métodos de relajación dirigidos especialmente al tracto gastrointestinal. También es importante que se mantenga activo, que haga deporte al aire libre y que practique ejercicios respiratorios.

Si la mucosa intestinal está dañada puede dejar pasar todo tipo de toxinas y sustancias perjudiciales. Por lo tanto, elija productos procedentes de cultivos biológicos y prescinda del tabaco, el alcohol y los dulces.

¿Es posible prevenir la enfermedad celíaca?

Dado que las causas de la celiaquía no están claras, a los adultos no se les puede aconsejar nada concreto para prevenirla. Sin embargo, es recomendable llevar una forma de vida y una alimentación que sean lo más saludables posible.

A los bebés de padres celíacos hay que darles de mamar por lo menos durante 6 meses. Así es como mejor se desarrollará su flora intestinal y su sistema inmunitario. Al retrasar lo máximo posible la alimentación con productos preparados, se evitará un contacto prematuro con unos cereales a los que pueda presentar intolerancia. Conviene probar cada alimento por separado, y prestar especial atención a posibles reacciones cuando el bebé consuma cereales por primera vez. Si el niño reacciona con vómitos, gases y diarrea, no hay que volver a darle esa papilla. Los padres celíacos, en ningún caso deberán dejar de dar alimentos con gluten a su hijo a menos que a éste también se le haya diagnosticado la enfermedad celíaca con total certeza. El tener solamente una sospecha no es motivo suficiente para tachar los cereales de la dieta de los niños o de los adultos. Si se manifiestan algunos síntomas, lo primero que hay que hacer es asegurarse de cuál es su causa.

Para más seguridad, en las familias en las que haya varios miembros celíacos puede ser aconsejable hacer un análisis de sangre a los niños. Si el resultado es negativo y no manifiestan ningún síntoma, lo más seguro es que no sean celíacos. Pero si el análisis da un resultado positivo, es mejor comprobarlo mediante una biopsia.

Dieta como protección contra el cáncer

La salud de las personas celíacas no está expuesta a ningún riesgo especial, suponiendo, claro está, que sigan una dieta totalmente libre de gluten. Pero el hecho de que tengan que reducir la cantidad de alimentos hace que deban cuidar más de que su alimentación sea equilibrada. Es-

➤ Síntomas en niños pequeños

> Alteraciones del crecimiento
> Malestar general
> Gases
> Vientre hinchado
> Diarrea
> Heces desechas y grasientas
> Palidez
> Vómitos
> Cambios en el estado de ánimo
> Tendencia a llorar
> Desinterés
> Tendencia a retraerse
> Falta de apetito
> Debilidad muscular

to les ofrece la posibilidad de seguir una dieta especialmente saludable y que evite posibles riesgos para la salud. Solamente si no se atienen a la dieta es posible que aparezcan efectos secundarios y enfermedades derivadas. Basta una mínima cantidad de gluten para que el intestino resulte seriamente dañado. Y entonces las probabilidades de contraer un cáncer de intestino se multiplican por diez.

¿Qué hacer en caso de un error en la alimentación?

Hay que esforzarse lo máximo posible para no cometer ningún fallo con la dieta. La alimentación no puede ser «un poco» libre de gluten. Y en el caso de que se haya cometido el descuido de consumir alimentos con gluten, los síntomas no necesariamente se manifestarán de forma inmediata. Sin embargo, el sistema inmunitario se activa y la mucosa intestinal resulta dañada. Por esto, cada error con la alimentación constituye un serio riesgo para la salud. Si se notan dolores de vientre y diarreas es necesario buscar cuál es la causa para evitar volver a repetir el mismo fallo.

El intestino.
Defensas
debilitadas

El intestino delgado

Mientras nuestra piel exterior apenas tiene una superficie total de unos 2 m², la «piel interna» de nuestro tracto digestivo tiene una extensión total de 500 a 700 m². Pero un intestino delgado afectado por la enfermedad celíaca tiene 120 m² para una longitud de 3-5 metros. Y esto solamente se consigue mediante una estructura muy compleja: la mucosa intestinal forma unos pliegues anulares muy densos que llegan a ser unos 600 por m², lo cual aumenta enormemente su superficie útil. Y en cada mm² de esta mucosa hay hasta 40 vellosidades intestinales de 1 mm de altura y 0,1 mm de diámetro, y que permiten aumentar la superficie hasta 5-6 m². A su vez, cada mm² de estas vellosidades intestinales contiene hasta 200 millones de microvellos. Extendidos ocuparían la superficie de un campo de fútbol.

Esta estructura tan compleja y con una superficie tan enorme resulta necesaria para que podamos absorber bien los alimentos. Cada vellosidad está recorrida por pequeñas venas y arterias y cuenta con una densa red de capilares sanguíneos y de vasos linfáticos. A través de esta red se captan los nutrientes para hacerlos llegar al torrente sanguíneo. La enfermedad celíaca daña constantemente estas vellosidades, con lo cual no pueden regenerarse y se atrofian. Lo que debería ser un «paisaje de colinas» vivo se convierte en una llanura yerma, con una superficie útil muy inferior y que no puede absorber suficientes nutrientes.

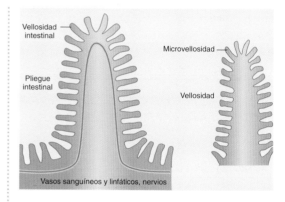

La mucosa intestinal forma pliegues, vellosidades y microvellosidades. Así se aumenta 200 veces la superficie útil del interior del intestino.

La flora intestinal

Pero antes es necesario que la papilla alimenticia se descomponga en sus ingredientes químicos. Y ésta es la tarea que realizan los millones de bacterias que viven en nuestro intestino. A este complejo ecosistema lo denominamos flora intestinal, y su composición dependerá del tipo de alimentación y del estilo de vida que llevemos. Nuestro estado de salud depende directamente de la flora intestinal. Las personas celíacas tienen la composición de la flora intestinal bastante deteriorada, por lo que ésta ya no puede cuidar de la salud.

El intestino, nuestro mayor sistema de defensa

Nuestro organismo está separado del exterior tanto por la piel externa como la interna. Y estos límites hay que cuidarlos mucho para permitir que los elementos vitales puedan penetrar en el organismo, y a la vez impedir el paso a los nocivos. Con nuestra alimentación ingerimos varias veces al día una peligrosa mezcla que va a parar al tracto digestivo –junto a nutrientes saludables y necesarios se encuentran también elementos peligrosos, como bacterias y hongos, que el organismo ha de poder reconocer, desactivar y expulsar–.

Por esto, la mayor parte de nuestro sistema inmunitario (70-80%) radica en el intestino. Allí se ocupa de que todo funcione con la máxima normalidad y se responsabiliza de nuestra salud.

El sistema inmunitario

Sus células especializadas están programadas para reconocer y desactivar a las sustancias extrañas. Al primer contacto se programan específicamente para esa sustancia. Si el organismo

> ## ➤ Esto protege al intestino
>
> › Alimentos frescos
> › Cocinar de forma saludable
> › Fibra
> › Alimentos fáciles de digerir
> › Mucho líquido (agua)
> › Infusiones de hierbas
> › Ejercicio físico
> › Relajación
> › Ejercicios respiratorios
> › Aire libre
> › Masticar bien
> › Ropa holgada
> › Homeopatía
> › Actitud positiva ante la vida

vuelve a entrar en contacto con ella, las células la identifican en el acto y la bloquean para que no pueda producir daños. Actúan como una llave en una cerradura.

Pero este proceso vital también puede extenderse a sustancias que no son dañinas de por sí. Entonces el sistema inmunitario reacciona de forma hipersensible y toma por enemigos a elementos que no lo son. Más tarde o más temprano se desequilibra el sistema inmunitario: aparece una alergia.

En el caso de la enfermedad celíaca, el gluten de los cereales es identificado erróneamente como una sustancia perjudicial. El sistema inmunitario se activa ante la presencia del agente –el antígeno– y produce células para combatirlo: los anticuerpos.

Estos anticuerpos atacan la mucosa intestinal y dañan seriamente el tejido. Por lo tanto, la celiaquía se puede considerar como una enfermedad autoinmune. Pero su desarrollo todavía no lo conocemos con todo detalle.

> ## ➤ Esto perjudica al intestino
>
> › Alimentos desnaturalizados
> › Comida rápida
> › Alimentos difíciles de digerir
> › Azúcar
> › Exceso de grasa
> › Falta de líquidos
> › Alcohol
> › Tabaco
> › Medicamentos
> › Estrés y preocupaciones
> › Respiración poco profunda
> › Ropa ceñida (pantalones, faldas)
> › Falta de ejercicio
> › Comer con prisas

Lo importante para
la vida cotidiana

¿Los síntomas se manifiestan inmediatamente después de cometer un error con la alimentación?

Si se consumen erróneamente alimentos que contengan gluten, esto no implica que inmediatamente tengan que aparecer síntomas apreciables. Cuando el intestino resulta dañado, no lo manifiesta de inmediato. El estrés u otros factores pueden hacer que la enfermedad aparezca más tarde. Esto exige una autodisciplina muy estricta.

¿Qué se puede hacer además de seguir una dieta sin gluten?

Además de seguir estrictamente una dieta sin gluten, también es importante cuidar de que la alimentación sea lo más sana y equilibrada posible. Son recomendables todos aquellos alimentos que no fuerzan ni irritan innecesariamente al intestino. En vez de alimentos pesados, picantes o ácidos es mejor consumirlos suaves y ricos en fibra.

¿Al seguir una dieta sin gluten existe el peligro de sufrir una falta de nutrientes?

La dieta sin gluten implica prescindir de algunos alimentos, pero esto no quiere decir que haya que temer una falta de nutrientes. Una alimentación equilibrada y con ingredientes frescos evitará cualquier estado carencial. Procure comprar alimentos frescos de la temporada y prepárelos de forma saludable.

¿Vale la pena tomar complementos nutritivos?

A las personas celíacas les pueden sentar muy bien los suplementos nutricionales. Pueden equilibrar alguna carencia de nutrientes y ayudar a curar la mucosa intestinal. Pero no lo haga por las buenas. Consulte antes a su médico para que le recete los productos adecuados, a ser posible naturales.

¿Qué puedo hacer para apoyar mi curación?

Todo lo que tranquilice al intestino ayudará a curarlo. Pueden ser tierras curativas, semillas de lino o aloe vera. En caso de acidez habrá que tomar un producto alcalino. Consulte a su médico sobre una posible orientación simbiótica de su flora intestinal. También es importante que haga ejercicio al aire libre, que evite el estrés y que se relaje.

¿Puedo irme de vacaciones siendo celíaco?

Para que pueda relajarse durante las vacaciones y no corra el riesgo de sufrir una recaída, será necesario que lo planifique todo con antelación. Infórmese sobre lo que podrá comprar en el lugar de destino y, de todos modos, lleve consigo una cierta provisión de alimentos sin gluten. Busque un alojamiento en el que se cocine sin gluten o en el que pueda prepararse las comidas usted mismo. En Internet encontrará mucha información sobre este tema.

¿Cómo me he de comportar cuando me inviten?

Informe a su anfitrión sobre sus necesidades y pregúntele si hay platos sin gluten. Probablemente podrá tenerlo en cuenta, pero también puede llevar usted algo para comer. Si le invitan a tomar un café, su anfitrión se alegrará al verle aparecer con una tarta.

Enfermedad celíaca y comer fuera de casa

En el restaurante deberá buscar los platos sin gluten de la carta y consultar al cocinero sobre los ingredientes y el modo de preparación. La mayoría de los restaurantes de alto nivel ya incluyen platos sin gluten en su carta.

¿Qué puedo hacer si estoy ingresado en un hospital?

Las cocinas de los hospitales están preparadas para afrontar todo tipo de dietas. Si puede, advierta previamente al personal del hospital acerca de sus necesidades. Pero siempre puede colarse algún descuido, por lo que deberá controlar todas las comidas. Si su ingreso se debe a una urgencia, sus familiares deberán advertir a tiempo que usted es celíaco.

Diagnóstico

Probabilidad y seguridad

Para poder obtener un diagnóstico fiable es necesario realizar una prueba de anticuerpos y una biopsia. Solamente si ambos resultados coinciden podrá considerarse que el diagnóstico es realmente seguro. Si los resultados de las pruebas difieren, habrá que pensar en otras posibles causas. Si la mucosa intestinal presenta lesiones a pesar de que el análisis de sangre haya dado negativo, será conveniente seguir una alimentación sin gluten. Para mayor seguridad, sería conveniente realizar una biopsia más adelante.

El sistema inmunitario del organismo identifica los componentes del gluten como antígeno y produce anticuerpos para combatirlos, y éstos se pueden detectar en un análisis de sangre. Además de los anticuerpos de la clase IgA hay que comprobar también los de la IgG, ya que un 2% de los celíacos presentan una falta de IgA. Desde 1997, además de los anticuerpos de la gliadina se comprueban también los de la transglutaminasa, ya que sólo éstos se encuentran en la celiaquía.

Para realizar una biopsia de intestino delgado se introduce por la boca del paciente un endoscopio o una cápsula para biopsias y se hace llegar

> ➤ **Posibles enfermedades secundarias**
>
> › Diabetes mellitus
> › Dolores reumáticos
> › Enfermedades renales
> › Morbus Crohn / Colitis ulcerosa
> › Enfermedades de la piel
> › Gastritis
> › Intolerancia a la lactosa
> › Alergias

hasta el intestino delgado para que el médico pueda tomar una muestra de tejido. Esta intervención se realiza con anestesia local y no presenta absolutamente ningún problema.

Para que el diagnóstico sea realmente fiable es necesario que ambas pruebas se realicen durante una fase aguda de la enfermedad. Si ante las primeras dudas se ha pasado ya a una alimentación sin gluten, los resultados de estas pruebas ya no serán tan fiables. Para más seguridad es recomendable realizar posteriormente controles anuales.

Biopsia	Análisis de sangre	Diagnóstico	Tratamiento
Positivo	Positivo	Totalmente positivo	Alimentación sin gluten
Negativo	Negativo	Totalmente negativo	Alimentación con gluten
Positivo	Negativo	Posible celiaquía con carencia de IgA	Determinación de IgG Alimentación sin gluten Biopsia de control
Negativo	Positivo	Posible hipersensibilidad sin síntomas agudos de enfermedad	Alimentación normal con gluten Biopsia de control

Mi hijo
es celíaco

¿Qué he de hacer?

Generalmente, la alimentación sin gluten de bebés y niños pequeños no plantea ningún problema. Las complicaciones surgen cuando el niño descubre que hay diferencias entre su comida sin gluten y la alimentación «normal». Para que no se sienta como un marginado en su propia familia, es muy importante que todos se alimenten sin gluten. Es necesario que sus amigos, y especialmente los padres de éstos, sepan cuáles son las necesidades del niño. También hay que informar a las educadoras del parvulario y a los profesores de la escuela. Lo importante es tratar el tema de forma seria, sincera y sencilla. El niño nunca deberá sentirse como «especial» ni en el buen sentido, ni en el malo.

Almuerzo en el parvulario

Explique a las educadoras del parvulario y a los monitores del comedor cuáles son exactamente las necesidades del niño derivadas de su celiaquía. Para que se tomen su alimentación realmente en serio, explíqueles cuáles serían las consecuencias de cometer algún error. Como precaución, lo mejor sería que fuese usted quien se encargase de la alimentación del niño. Si la comida del parvulario depende de un servicio de catering, infórmese de si tienen contemplada la posibilidad de servir un menú sin gluten.

Fiestas infantiles de cumpleaños

Si al niño celíaco lo invitan a una fiesta infantil, hable previamente con los padres del niño anfitrión y expóngales el caso. También puede proporcionarles pastas o comida preparadas sin gluten. Solamente deberá confiar en que le vayan a dar comida sin gluten si está realmente seguro de que los padres del otro niño saben cocinar sin gluten y tiene la certeza de que no cometerán ningún error.

Para un cumpleaños infantil puede hacer tranquilamente el siguiente pastel: Para 12 raciones: 250 g de chocolate, 250 g de mantequilla, 150 g de azúcar, 8 yemas de huevo, 5 claras de huevo, 160 g de nueces molidas.

Deshaga el chocolate al baño María. Corte la mantequilla a trocitos y bátala con el azúcar. Mezcle las yemas. Evade el chocolate deshecho. Bata las claras y añádales cuidadosamente las nueces. Mézclelo todo con la masa, póngala en el molde y hornéela durante 35 minutos a 160º.

Excursiones con el colegio

Cuando el niño vaya de excursión con el colegio, dele suficiente comida como para que no tenga que necesitar nada más. Si se va de colonias con el colegio, asegúrese de que la cocina le podrá preparar comidas sin gluten. Consúltelo con la debida antelación, por si acaso. Proporciónele al niño provisiones tales como pan, bollos, galletas y dulces.

Generalidades

¿Qué otras cosas he de tener en cuenta durante la fase inicial?

Si tiene problemas con la digestión de las grasas deberá optar por grasas fácilmente digeribles. Procure seguir las reglas enerales de una alimentación saludable y procure que ésta sea rica en fibra. Evite los alimentos que producen gases, como por ejemplo la col, la cebolla, el puerro y las legumbres.

¿Puedo fiarme de las listas de ingredientes?

Desde noviembre de 2005, la legislación europea establece que todos aquellos alimentos e ingredientes que puedan producir reacciones alérgicas o de intolerancia deberán estar obligatoriamente señalados. Por lo tanto, todos aquellos alimentos que contengan gluten o que incluyan ingredientes con gluten deberán indicarlo claramente. Y no basta una indicación general sino que habrá que señalar concretamente cuál es la fuente.

¿Qué es el «almidón de trigo sin gluten»?

En la producción del almidón de trigo se obtiene el almidón primario, o «almidón A», que tiene hasta un 0,5% de proteína, y el almidón secundario, o «almidón B», con hasta un 5% de proteína. El almidón secundario no se puede emplear en una alimentación sin gluten. Los alimentos de uso general con bajo contenido en almidón sólo pueden contener almidón primario y tienen que estar identificados como tales. Los alimentos ricos en cereales solamente pueden incluir almidón dietético de trigo con un contenido proteico inferior al 0,3%. Estos alimentos están marcados como libres de gluten.

¿Existen ayudas económicas para estas dietas?

Generalmente, las mutuas no proporcionan ninguna ayuda para seguir dietas especiales. De todos modos, no pierde nada consultando a su compañía de seguros o mutua médica. En algunos casos es posible obtener un certificado de invalidez. Generalmente, la celiaquía se considera como una invalidez del 20%, pero el grado puede aumentar si va acompañada de efectos secundarios. En muchos países, para que esto se refleje en los impuestos, es necesario llegar al 25%. La celiaquía también es causa para la exclusión de prestaciones militares.

¿Puedo donar sangre siendo celíaco?

Dado que no existen normas internacionales que regulen la donación de sangre, esto dependerá de la opinión del médico que lo realice. En principio, la enfermedad celíaca no tiene por qué ser un impedimento, siempre y cuando no se manifiesten síntomas agudos. En el caso de que se aprecien síntomas agudos de la enfermedad se suele prohibir la donación de sangre.

¿Qué es la intolerancia a la lactosa?

La intolerancia a la lactosa consiste en que el organismo no acepta este azúcar de la leche. Las fases agudas de la enfermedad celíaca suelen ir acompañadas de una intolerancia a la lactosa, ya que el intestino delgado deja de producir lactasa, que es el enzima necesario para digerirla. La intolerancia a la lactosa puede diagnosticarse mediante un análisis respiratorio o de sangre. Si el resultado es positivo, hay que prescindir de todos los productos lácteos así como de aquellos alimentos que incluyan lactosa. En esta misma colección encontrará libros sobre cómo seguir una dieta saludable sin lactosa.

¿Cómo se manifiesta la dermatitis herpetiforme de Duhring?

La d.h.D., o Morbus Duhring, es una enfermedad cutánea que suele acompañar a la celiaquía. En sus fases agudas produce prurito seguido de la aparición de pequeñas ampollas, principalmente en los codos, las rodillas y la cabeza. La enfermedad se diagnostica fácilmente a partir de una muestra de tejido cutáneo. Si el resultado es positivo habrá que investigar también la posibilidad de una celiaquía, ya que esta enfermedad de la piel muchas veces va unida a una enfermedad celíaca latente. El morbus Duhring puede tratarse con medicamentos, pero conviene sopesar bien sus ventajas y sus riesgos. Muchas veces, el factor desencadenante es el yodo. Los afectados deberán eliminar de sus dietas tanto el gluten como el yodo.

Primeros auxilios tras el diagnóstico

Plantéeselo de forma metódica

En los días inmediatos al diagnóstico es normal sentir miedo, inseguridad y desaliento. Sin embargo, dé gracias a que se haya podido establecer cuál era la causa de sus males y que usted pueda tratarse. Hágase miembro de una asociación de celíacos (en Internet encontrará todas las direcciones), busque un grupo de autoayuda y prográmese claramente lo que va a hacer en los próximos días.

➤ Comuníqueselo a todas las personas que convivan con usted. Informe a familiares y amigos, especialmente si el celíaco es un niño.

➤ Limpie a fondo todos los utensilios y aparatos de la cocina, especialmente la tostadora, la cesta del pan, etc., o sustitúyalos por otros nuevos.

➤ Sustituya todos aquellos utensilios de madera en cuyas grietas o rendijas pudieran quedar restos de alimentos con gluten.

➤ Prepare las comidas con y sin gluten siempre por separado, y a ser posible primero las que no tengan gluten y luego las que sí.

➤ Evite emplear los mismos utensilios de cocina para la preparación de comidas con gluten y sin gluten.

➤ Emplee también diferentes trapos y paños de cocina. Márquelos todos para evitar confusiones.

➤ Lave bien todos los utensilios empleados para guisar, cocer, hornear y freír.

➤ No emplee aceites en los que anteriormente se puedan haber frito alimentos con gluten.

➤ Guarde los alimentos con y sin gluten siempre por separado. Etiquételos de forma que no pueda haber confusiones.

➤ Lave bien los recipientes, frascos o envases que antes puedan haber contenido alimentos con gluten.

➤ Asegúrese de que las salsa, caldos e infusiones que tenga en casa estén realmente libres de gluten.

➤ Marque los moldes, bandejas de horno y accesorios para la máquina de hacer pan que estén destinados a alimentos sin gluten, o sustitúyalos por papel para horno.

➤ Guarde el pan con gluten y el pan sin gluten siempre en lugares separados.

➤ Emplee distintas tostadoras y diferentes cestas para el pan.

➤ Lave bien el cuchillo de cortar el pan, o emplee dos cuchillos.

Cuidado con el gluten oculto

➤ Lea atentamente las instrucciones para preparar alimentos sin gluten que le proporcionarán las autoridades sanitarias o la asociaciones de celíacos.

➤ Aprenda a interpretar los códigos de los alimentos, y cuando vaya a la compra, tómese el tiempo necesario para leer las listas de ingredientes.

➤ Infórmese acerca de la oferta de alimentos sin gluten en su tienda o supermercado habitual.

➤ Compre también en tiendas naturistas, dietéticas o por Internet.

➤ Controle sus medicamentos, dentífrico, enjuague bucal y lápiz de labios, y sustitúyalos si es necesario.

➤ Los alimentos que no están marcados como libres de gluten pueden contener trazas de gluten.

➤ Nunca pida que le muelan los cereales en la tienda. Seguro que por el molino han pasado anteriormente cereales con gluten.

➤ Si compra un molino para moler usted mismo sus cereales, no pase nunca cereales con gluten por él.

El arroz silvestre está estrechamente emparentado con la avena, por lo que durante mucho tiempo se supuso que contenía gluten. Sin embargo, los estudios más recientes han demostrado que no es así.

➤ Aquí se puede ocultar el gluten

> Medicamentos
> Complejos vitamínicos
> Lápices de labios, productos para cuidar los labios
> Dentífricos, enjuagues bucales
> Mezclas de especias
> Productos preparados
> Productos *light*
> Helados
> Fruta confitada
> Mezclas de infusiones
> Productos malteados
> Aditivos
> Aromatizantes
> Colorantes
> Masa preparada

Hornear
sin gluten

¿Tengo que hacer el pan en casa?

Si no puede conseguir pan fresco sin gluten en ningún lugar de confianza, no tendrá más remedio que hacérselo usted mismo. Generalmente, el pan casero es más sabroso y más económico que el pan sin gluten comprado en una panadería. Puede probar varias recetas y adoptar la que más se adapte a sus gustos.

¿Vale la pena adquirir una máquina automática para hacer pan?

El pan se puede hacer estupendamente en un horno de cocina convencional, pero una panificadora automática puede simplificar mucho el trabajo. La ventaja de este aparato es que controla perfectamente las fases de amasado y de reposo, y que los moldes se llenan en muy poco tiempo.

¿Qué harinas puedo mezclar?

Las harinas de maíz, arroz y trigo negro se pueden mezclar con almidón de patata, de maíz o de semillas de algarroba. La harina de trigo negro se puede sustituir por harina de amaranto, castañas, garbanzos o quinoa. Estas harinas especiales puede adquirirlas en tiendas naturistas o de alimentación biológica.

¿Qué puedo emplear como aglutinante, y cómo se consigue una masa más esponjosa?

Como aglutinantes puede emplear harina de semillas de algarroba o harina de maranta. Para que la masa sea menos compacta, emplee vinagre de fruta. Basta con añadirle 1-3 cucharaditas a la masa, mezclar bien y seguir trabajándola normalmente.

¿Cómo se consigue que la masa del pan sea más suave?

Para que la masa del pan sea más fácil de preparar y se hornee mejor se le puede añadir semillas de zaragatona *(Psyllium plantago)*. De esta forma la masa absorbe mucha agua y la retiene mejor al hacer pan sin gluten. Las semillas de la zaragatona hace bastante poco que se emplean en la cocina sin gluten, pero sus propiedades son tan buenas que cada vez la encontramos en más harinas preparadas.

¿Cómo se emplean las semillas de zaragatona?

Mezclar 1-2 cucharaditas de semillas con el agua que se vaya a emplear para hacer el pan, dejarlas reposar durante 10 minutos y añadir a la masa. Luego se sigue el proceso habitual. Las semillas molidas se venden con diferentes denominaciones comerciales (por ejemplo, Fober-Husk). Pero también se pueden comprar sin moler y molerlas uno mismo en casa.

¿Qué se puede hacer para que la masa del pan suba mejor?

Tener todos los ingredientes a temperatura ambiental. Dejar que la masa suba sólo una vez. Precalentar el horno a 50 °C, desconectarlo, colocar la masa en una fuente, cubrirla con un paño húmedo e introducirla en el horno. En verano, cuando haga mucho calor, se puede acortar el tiempo de reposo. En invierno puede ser necesario prolongarlo.

¿Qué formas le puedo dar al pan y a la bollería sin gluten?

Coloque la masa en un molde alargado para pan, o en moldes redondos u ovalados. A los panecillos puede darles forma con las manos húmedas y luego recubrirlos con semillas de sésamo, amapola o pipas de girasol. Con la masa también se pueden hacer espirales, corazones y cualquier otra forma de fantasía.

¿Cómo se consigue que el pan tenga una buena costra?

Para que el pan obtenga una buena costra es necesario que antes de hornearlo se unte la masa con un poco de agua tibia, café, leche tibia o con yema de huevo mezclada con aceite o con agua. Al untar la masa con clara o yema de huevo se obtiene una superficie brillante. Además, cuando hornee el pan, coloque en el horno un pequeño recipiente (a prueba de horno) con agua. Así evitará que se seque demasiado.

Cocinar, hornear y disfrutar

Alimentos sabrosos sin gluten

¿Le sigue pareciendo difícil pasar a una alimentación sin gluten? ¿Será porque no sabe qué productos alternativos puede emplear para guisar y hornear?

No pasa nada, este capítulo le explica que sin gluten también es posible preparar unas recetas excelentes. Los datos de la lista de ingredientes le facilitarán la elección de los productos. Le garantizamos que todas estas recetas son sin gluten, muy variadas y —lo más importante de todo— sencillamente sabrosas. ¡Disfrute de la buena mesa sin sufrir! Sopas y salsas, una amplia variedad de masas y bollería picante, dulces, pastas y pasteles así como platos principales que no tardarán en demostrarle a usted y a su familia que en la cocina se puede prescindir tranquilamente del gluten.

Sopa de verduras con albóndigas de sémola de maíz

INGREDIENTES
PARA 4 PERSONAS

350 ml de caldo de verduras
140 g de sémola de maíz
sal, pimienta, nuez moscada
1 huevo
1 cucharada de nata
3 cucharadas de hierbas picadas
(como por ejemplo perejil
o cebollino)
1 l de sopa de verdura o de carne

PREPARACIÓN: 35 minutos

1. Llevar a ebullición el caldo de verdura. Añadir la sémola de maíz, y volver a llevar a ebullición. Cocer durante 5 minutos removiendo constantemente. Apagar el fuego y dejar reposar durante 15 minutos.

2. Poner a hervir agua con sal en una olla grande. Sazonar la masa con sal, pimienta y nuez moscada y dejar que se enfríe un poco. Batir el huevo con la nata, añadirle 2 cucharadas de hierbas picadas y agregarlo a la masa.

3. Hacer albondiguillas empleando dos cucharitas de café y ponerlas en el agua hirviendo. Cocerlas durante unos minutos hasta que floten en la superficie. Servirlas en sopa de verduras o de carne caliente. Espolvorear con las hierbas picadas.

SUGERENCIA

Puede preparar la sopa a partir de diversas verduras frescas o emplear sopa de verduras instantánea.

VARIANTE

Si lo desea, puede añadir 4 cucharadas de queso parmesano a la masa para las albondiguillas.

Valores nutricionales por ración:

220 kcal • **5 g** proteínas • **6 g** grasas • **33 g** carbohidratos

Crema de champiñones

INGREDIENTES
PARA 4 PERSONAS

750 ml de caldo de verduras
1 cebolla
200 g de champiñones frescos
2 cucharadas de aceite de oliva
3 cucharadas de harina blanca sin gluten
50 ml de leche
50 ml de nata
50 ml de vino blanco (o 2 lonchas de queso fundido sin gluten)
1 cucharada de zumo de limón
sal, nuez moscada
pimienta blanca recién molida
2 cucharadas de rollitos
de cebollino

PREPARACIÓN: 20 minutos

1. Llevar a ebullición el caldo de verdura. Pelar la cebolla y cortarla a tacos. Lavar los champiñones y cortarlos a lonchas. Apartar algunas lonchas para la decoración.

2. Calentar el aceite en una olla. Sofreír la cebolla. Añadir los champiñones y sofreír 2 minutos más. Añadir la harina y seguir guisando durante 2 minutos sin dejar de remover. Verter el caldo hirviendo y cocerlo todo a fuego medio durante 6-8 minutos.

3. Añadir la leche y la nata a la sopa, y pasarlo todo por la batidora. Condimentar al gusto con vino, zumo de limón, sal, nuez moscada y pimienta. Decorar con cebollino y las lonchas de champiñones que habíamos apartado anteriormente.

VARIANTE

Si prefiere una crema de verdura, sustituya los champiñones por coliflor, tacos de calabacín, bróculi o tiras de hinojo.

Valores nutricionales por ración:

165 kcal • **2 g** proteínas • **9 g** grasas • **15 g** carbohidratos

Salsa de tomate Christoph

**INGREDIENTES
PARA 4 PERSONAS**

1 cebolla
1-2 dientes de ajo
2 cucharadas de aceite de oliva
400 g de pulpa de tomate troceada
(producto envasado)
3 cdas. de extracto de tomate
sal, pimienta
3 cucharadas de vino tinto
(si le gusta)
5 cucharadas de nata
1 cucharada de hierbas frescas
picadas (por ejemplo, orégano,
tomillo, albahaca)

PREPARACIÓN: 30 minutos

1. Pelar la cebolla y el ajo y cortarlos a taquitos. Calentar el aceite en una olla y sofreír el ajo y la cebolla removiendo con frecuencia.

2. Añadir los trozos de tomate con su jugo y sofreír brevemente. Agregar el extracto de tomate. Sazonar con sal y pimienta. Guisar a fuego lento durante unos 10 minutos.

3. Añadir el vino tinto y cocer durante 5 minutos más. Mezclar con la nata y las hierbas antes de servir. Esta salsa es excelente para la pasta.

VARIANTES

Puede enriquecer la salsa añadiéndole 200 g de carne de ternera picada o 200 g de taquitos de verduras guisadas, como por ejemplo zanahoria, apio, puerro, calabacín.

Valores nutricionales por ración:

140 kcal • **2 g** proteínas • **11 g** grasas • **5 g** carbohidratos

Salsa bechamel

**INGREDIENTES
PARA 4 PERSONAS**

2 cucharadas de mantequilla
40 g de harina blanca sin gluten
200 ml de caldo de verduras
200 ml de leche
sal, nuez moscada
2 cucharadas de nata

PREPARACIÓN: 20 minutos

1. Deshacer la mantequilla en una olla, añadir la harina. Verter el caldo y la leche. Mezclar rápidamente para que no se hagan grumos.

2. Condimentar con sal y nuez moscada. Llevar a ebullición, añadir la nata y no dejar que vuelva a hervir.

VARIANTES

Si se añade perejil picado, esta salsa combina muy bien con las patatas con crema. Para la lasaña se puede emplear esta salsa junto con una salsa de tomate. También se puede mezclar con 50 g de queso rallado.

Valores nutricionales por ración:

120 kcal • **2 g** proteínas • **10 g** grasas • **12 g** carbohidratos

Salsa barbacoa picante

**INGREDIENTES
PARA 6 PERSONAS**

2 escalonias
3 dientes de ajo
1 tallo de apio
2 cucharadas de aceite de oliva
6 cucharadas de ketchup de tomate (por ejemplo, Heinz)
6 cucharadas de tomate picado (producto envasado)
2 cucharadas de vinagre aromático
1 cucharada de mostaza de Dijon, 150 ml de agua
sal, pimienta
1 cda. de hierbas frescas picadas

PREPARACIÓN: 30 minutos

1. Pelar las escalonias y el ajo y cortarlos a taquitos. Lavar el apio, quitarle las fibras duras y trocearlo bien. Calentar el aceite en una olla. Sofreír los taquitos de ajo y la escalonia. Añadir los de apio y sofreír brevemente.

2. Agregar ketchup, tomate picado, vinagre, mostaza de Dijon y agua; seguir cociendo durante 20 minutos más. Condimentar con sal, pimienta y hierbas.

SUGERENCIA

En un frasco hermético, esta salsa se puede conservar en la nevera por lo menos durante dos semanas. Si cuando la salsa todavía está hirviendo se guarda en un frasco de vidrio lavado con agua hirviendo y provisto de cierre hermético, puede conservarse en buenas condiciones hasta cuatro meses.

Valores nutricionales por ración:

60 kcal • **1 g** proteínas • **3 g** grasas • **7 g** carbohidratos

Salsa curry con nata

**INGREDIENTES
PARA 4 PERSONAS**

1 cebolla pequeña
1 cucharada de aceite de oliva
30 g de harina blanca sin gluten
3 cucharaditas de curry en polvo
250 ml de caldo de pollo
sal, pimienta, azúcar, sal de ajo
200 g de nata, 1 yema de huevo

PREPARACIÓN: 20 minutos

1. Cortar la cebolla a taquitos. Calentar el aceite en una sartén y sofreír la cebolla. Añadir la harina y el curry en polvo. Verter el caldo de pollo y llevar a ebullición sin dejar de remover.

2. Condimentar la salsa con sal, pimienta, azúcar y sal de ajo. Batir la yema con la nata y añadir a la salsa. Calentarla un poco pero sin dejar que vuelva a hervir.

VARIANTE

Puede mejorar esta salsa de curry añadiéndole 3 cucharadas de taquitos de piña y melocotón.

Valores nutricionales por ración:

258 kcal • **2 g** proteínas • **23 g** grasas • **10 g** carbohidratos

Gnocchi
con parmesano

**INGREDIENTES
PARA 4 PERSONAS**

800 g de patatas hervidas harinosas (preferiblemente del día anterior)

50 g de requesón dietético

1 huevo

150 g de queso parmesano recién rallado

70 g de harina blanca sin gluten

80 g de sémola fina de maíz + un poco para trabajar

sal, nuez moscada

30 g de copos de mantequilla grasa para la fuente

PREPARACIÓN: 1 hora

HORNEADO: 10 minutos

1. Precalentar el horno. Poner a hervir agua con sal en una olla grande. Pelar las patatas hervidas el día anterior y pasarlas por la prensa para patatas. Mezclar con requesón, huevo, 75 g de queso parmesano, harina y sémola de maíz para hacer una masa homogénea. Condimentar con sal y nuez moscada.

2. Espolvorear una bandeja de horno con sémola de maíz, colocar la masa y hacer rollitos del grosor de un dedo. cortar a trocitos de 2-3 cm de longitud. Aplanarlos un poco con un tenedor.

3. Poner los gnocchi en agua hirviendo y cocerlos a fuego lento hasta que floten en la superficie. Sacarlos con la espumadera y dejarlos escurrir un poco.

4. Untar la fuente con un poco de grasa o mantequilla, colocar los gnocchi. Espolvorear con 75 g de parmesano y los copos de mantequilla. Gratinar durante 10 minutos en el horno a 200°. Se puede acompañar con salsa de tomate o con una ensalada verde o mixta.

VARIANTE

GNOCCHI SOBRE ESPINACAS

1 cebolla pequeña

2 dientes de ajo

2 cucharadas de aceite de oliva

450 g de espinacas (congeladas)

sal, pimienta, nuez moscada

3 cucharadas de crema de leche

150 g de queso parmesano recién rallado

mantequilla para la fuente

Prepare los gnocchi siguiendo la receta hasta el final del tercer punto. Pele la cebolla y el ajo y córtelos a taquitos. Calentar el aceite en una sartén y sofreír el ajo y la cebolla. Añadir las espinacas y seguir sofriendo a fuego lento hasta que la espinaca se haya atemperado. Condimentar con sal, pimienta y nuez moscada. Agregar la crema de leche. Colocar la masa en el molde. Colocar los gnocchi en él y espolvorear el parmesano. Precalentar el horno a 220 °C y gratinar suavemente durante 15-20 minutos.

Valores nutricionales por ración:

480 kcal • **23 g** proteínas • **19 g** grasas • **54 g** carbohidratos

Spätzle gratinados con queso

**INGREDIENTES
PARA 4 PERSONAS**

200 g de harina blanca sin gluten
50 g de sémola fina de maíz
3 huevos
1 cucharada de aceite de oliva
1 cucharadita de sal, un poco de agua
1 cebolla grande
1 cucharada de mantequilla
150 g de queso emmental rayado
mantequilla para la fuente

PREPARACIÓN: 30 minutos
REPOSO: 20 minutos
HORNEADO: 10 minutos

1. Mezclar la harina, la sémola de maíz, los huevos, el aceite y la sal hasta obtener una masa densa y homogénea. Según el tamaño de los huevos puede ser necesario añadir un poco más de agua para que la masa tenga una cierta consistencia. Dejar reposar la masa durante 20 minutos (tapada y a temperatura ambiental) para que la sémola de maíz se hidrate.

2. Mientras tanto, poner a hervir agua con sal en una olla grande. Pasar la masa por la prensa para hacer los Spätzle –hace falta un poco de fuerza–. Poner los Spätzle en agua hirviendo (una pequeña porción cada vez), cocerlos y retirarlos con una espumadera. Colocarlos en un colador para que escurran.

3. Precalentar el horno. Pelar la cebolla y picarla. Deshacer la mantequilla en una sartén y dorar la cebolla en ella. Engrasar ligeramente una fuente para horno.

4. Repartir los Spätzle calientes por capas junto con el queso y la cebolla. Gratinar en el horno durante 10 minutos a 220°. Si no desea que la capa superior sea demasiado dura, cúbrala con papel de aluminio. Se puede servir acompañado de una buena ensalada mixta.

VARIANTE

Fría 100 g de bacon cortado a taquitos junto con la cebolla: así le dará al plato un aroma aún más apetitoso.

SUGERENCIA

Una vez preparados, los *Spätzle* con queso se pueden congelar sin problemas. Antes de servirlos, caliéntelos en el horno durante 10 minutos a 200°.

Valores nutricionales por ración:

505 kcal • **18 g** proteínas • **25 g** grasas • **52 g** carbohidratos

Penne con salsa de calabacín

**INGREDIENTES
PARA 4 PERSONAS**

1 cebolla
2 dientes de ajo
400 g de calabacín
4 cucharadas de aceite de oliva
400 g de tomate troceado (envasado)
100 g de nata
sal, pimienta
400 g de *penne* sin gluten
50 g de queso parmesano recién rallado
2 cucharadas de albahaca recién picada

PREPARACIÓN: 30 minutos

1. Pelar la cebolla y los dientes de ajo y trocearlos bien, lavar los calabacines y cortarlos a tiritas. Calentar el aceite en una sartén y sofreír la cebolla y el ajo. Añadir las tiras de calabacín y sofreír unos instantes. Agregar el tomate troceado con su jugo y cocerlo todo a fuego lento durante 5 minutos.

2. Añadir la nata y condimentar la salsa con sal y pimienta. Hervir la pasta en agua con sal siguiendo las instrucciones del envase. Colar y escurrir. Añadir la salsa a cada ración de pasta y espolvorearlas con parmesano y albahaca picada.

VARIANTE

Añádale a la salsa 50 g de taquitos de jamón. Eso le dará una nota más sabrosa.

Valores nutricionales por ración:

610 kcal • **20 g** proteínas • **23 g** grasas • **81 g** carbohidratos

Espaguetis a la carbonara

**INGREDIENTES
PARA 4 PERSONAS**

1 manojo de perejil
80 g de bacon
2 dientes de ajo
500 g de espaguetis sin gluten
40 g de mantequilla
125 g de nata
3 huevos
3 yemas de huevo
60 g de parmesano rallado
sal, pimienta

PREPARACIÓN: 30 minutos

1. Lavar el perejil, secarlo y picarlo bien. Cortar el bacon a taquitos y pelar el ajo.

2. Cocer los espaguetis *al dente* en agua con sal y siguiendo las instrucciones del envase. Deshacer la mantequilla en una sartén, sofreír los dientes de ajo y sacarlos al cabo de 3 minutos. Pasar el bacon 5 minutos por la misma sartén, añadir la nata y cocer brevemente.

3. Batir en una fuente los huevos y las yemas con el parmesano y el perejil picado. Colar los espaguetis y escurrirlos bien. Añadirlos a la mezcla de bacon y nata, y verter el huevo por encima. Mezclar bien.

Condimentar con sal y pimienta y servir en seguida.

SUGERENCIA

Caliente los platos con agua hirviendo antes de servir.

Valores nutricionales por ración:

925 kcal • **32 g** proteínas • **46 g** grasas • **96 g** carbohidratos

Lasaña

**INGREDIENTES
PARA 4-6 PERSONAS**

doble cantidad de salsa de tomate
con verduras o carne picada
(ver página 28, variantes)
salsa bechamel
(según la receta de la página 28)
1 paquete de hojas de lasaña
sin gluten
150 g de queso parmesano
recién rallado
30 g de copos de mantequilla
aceite de oliva para el molde

PREPARACIÓN: 2 horas
HORNEADO: 40 minutos

1. Preparar las salsas según la receta de cada una (ver página 28).

2. Hervir las hojas de lasaña en agua con sal y un poco de aceite, en dos etapas de 5 minutos cada una. Sacarlas con la espumadera y colocarlas unas al lado de otras sobre una bandeja mojada (no hay que colocarlas unas sobre otras porque se pegarían entre sí).

3. Precalentar el horno. Untar una fuente con aceite de oliva y cubrir el fondo con 2-3 cucharadas de salsa de tomate, añadir 2-3 cucharadas de salsa bechamel, remover, espolvorear con un poco de parmesano. Cubrir con una hoja de lasaña y volver a cubrir con las salsas. Repetir el proceso hasta acabar las hojas de lasaña y las salsas.

4. Espolvorear la última capa de salsas con el resto del queso y añadirle los copos de mantequilla. Hornear la lasaña durante 35-40 minutos a 220°. Dejar que repose un poco antes de servir. Se puede acompañar con una ensalada verde.

SUGERENCIA

Puede preparar la lasaña el día antes y guardarla en la nevera cubierta con film de cocina hasta el momento de meterla en el horno. También se puede congelar para luego hornearla de 35 a 40 minutos a 220°.

VARIANTE

Si no tiene hojas de lasaña a mano, puede emplear tranquilamente cualquier otro tipo de pasta que no contenga gluten.

Valores nutricionales por ración:

1010 kcal • **49 g** proteínas • **50 g** grasas • **87 g** carbohidratos

Empanadillas

INGREDIENTES
PARA 4 PERSONAS
PARA LA MASA

300 g de harina blanca sin gluten
1 cucharadita de sal
1 cucharadita de Fiber-Husk
(semillas de maranto)
3 huevos, 1 cucharada de aceite
de oliva

PARA EL RELLENO

1 cebolla
1/2 manojo de perejil
1 cucharada de aceite
50 g de salami
300 g de carne de ternera magra
picada
1 huevo
1 cucharada de pan rallado
sal, pimienta
1 clara de huevo para untar
1 cebolla
2 cucharadas de mantequilla

PREPARACIÓN: 1 hora
REPOSO: 20 minutos

1. Mezclar la harina con sal y las semillas de maranto. Añadir los huevos y el aceite, amasar hasta conseguir una masa homogénea. Si hace falta, añadir 2-3 cucharadas de agua fría. Envolver en film de cocina y dejar reposar durante 20 minutos en lugar fresco.

2. Pelar la cebolla y cortarla a taquitos. Lavar el perejil, secarlo y picarlo bien. Calentar el aceite, sofreír la cebolla y el perejil, dejar enfriar un poco. Picar bien el salami y mezclarlo con la carne picada, el huevo y el pan rallado. Sazonar con abundante sal y pimienta. Añadir los taquitos de perejil y cebolla.

3. Poner a hervir agua con sal en una olla grande. Aplanar la masa hasta que quede lo más fina posible. Cortar cuadrados de unos 10 cm. Colocar 1 cucharadita de relleno en una mitad de cada cuadrado de masa, untar los bordes con un poco de clara de huevo y cerrar una mitad sobre la otra. Apretar todo el borde con un tenedor.

4. Colocar las empanadillas unos momentos en el agua hirviendo, bajar el fuego y dejarlas otros 8 minutos más. Mientras tanto, pelar la cebolla y cortarla a taquitos. Deshacer la mantequilla en una sartén y dorar la cebolla. Antes de servir las empanadillas, verter sobre ellas la mezcla de mantequilla y cebolla. Se pueden acompañar con ensalada verde y ensalada de patata.

VARIANTE

Estás empanadillas resultan aún más sabrosas si a la mezcla de carne se le añaden 50 g de espinacas picadas.

SUGERENCIA

Las empanadillas crudas se pueden congelar. Luego bastará con poner las empanadillas en agua hirviendo con sal y cocerlas durante 10 minutos.

Valores nutricionales por ración:

655 kcal • **29 g** proteínas • **31 g** grasas • **67 g** carbohidratos

Asado
con albóndigas

**INBREDIENTES
PARA 4-6 PERSONAS
PARA LA MARINADA
(1 SEMANA DE ANTELACIÓN)**

330 ml de vino tinto seco
330 ml de vinagre de vino
330 ml de agua
1 cebolla
1 hoja de laurel
2 clavos de especia
10 granos de pimienta negra
1 kg de asado de ternera

PARA EL ASADO

3 zanahorias
mostaza, sal, pimienta
6 cucharadas de aceite de oliva
2 cucharadas de gelatina
de grosella
2 cucharaditas de almidón de maíz
3 cucharadas de crema de leche

PARA LAS ALBÓNDIGAS

400 g de pan blanco sin gluten
150 ml de leche tibia
1 cebolla pequeña
1/2 manojo de perejil
2 cucharadas de aceite de oliva
50 g de tacos de bacon
1 huevo grande
pan rallado sin gluten

PREPARACIÓN: 2 horas
REPOSO: aprox. 1 semana

1. Verter el vino tinto, el vinagre y el agua en una olla o en un cazo grande, remover bien. Pelar la cebolla y cortarla a aros. Añadir a la mezcla de vino junto con la hoja de laurel, el clavo y los granos de pimienta. Colocar la carne de ternera en la marinada, cubrir el recipiente y guardarlo en la nevera durante 1 semana.

2. Llegado el día, lavar las zanahorias, pelarlas, cortarlas longitudinalmente en cuatro trozos y cortarlos a trozos de 3 cm de longitud. Sacar la carne y los aros de cebolla de la marinada. Escurrir la cebolla y envolver la carne en papel de cocina. Untarla con mostaza, añadir sal y pimienta.

3. Calentar el aceite en una cazuela y asar la carne a fuego intenso. Añadir las cebollas escurridas y la zanahoria y guisar a fuego medio durante 2-3 minutos.

4. Añadir la gelatina de grosella y verter un tercio de la marinada. Cubrir y seguir guisando durante aproximadamente 1 hora. Ir añadiendo marinada.

5. Para las albóndigas, secar el pan en el horno a 50° durante unos 30 minutos. Cortar el pan a taquitos, verter por encima la leche tibia y dejar reposar 10 minutos.

6. Pelar la cebolla y cortarla a taquitos. Lavar el perejil, secarlo y picarlo. Calentar el aceite en una sartén y sofreír la cebolla, el perejil y los taquitos de bacon. Dejar que se enfríe un poco.

7. Poner a hervir agua con sal en una olla grande. Mezclar el bacon y la cebolla con el huevo y la masa de pan. Condimentar con sal y nuez moscada. Si la masa fuese demasiado húmeda, se puede añadir un poco de pan rallado sin gluten. Con las manos húmedas, dar forma a 8 albóndigas. Deslizarlas en el agua hirviendo y cocerlas a fuego lento durante 15 minutos.

8. Sacar la carne de la cazuela y conservarla caliente. Pasar la salsa por un colador o por la batidora y llevarla a ebullición. Deshacer el almidón con agua, añadirlo a la salsa y cocer todo junto. Añadir la crema de leche.

9. Sacar las albóndigas con la espumadora. Cortar la carne a rodajas y servirla acompañada de la salsa y las albóndigas.

Valores nutricionales por ración:

860 kcal • **49 g** proteínas • **37 g** grasas • **79 g** carbohidratos

Crepes
rellenas

**INGREDIENTES
PARA 4 PERSONAS**

PARA LA MASA

3 huevos
200 g de harina blanca sin gluten
200 ml de leche
1 cucharada de aceite, 200 ml de agua fría
1 pizca de sal

PARA EL RELLENO

1 cebolla
2 dientes de ajo
6 cucharadas de aceite
400 g de carne magra picada
2 cucharadas de extracto de tomate
sal, pimienta, nuez moscada
100 ml de vino tinto
(o caldo de verdura)
1-2 cucharaditas de almidón alimentario
4 cucharadas de nata
1 cucharadita de hierbas secas (por ejemplo, hierbas de Provenza)

PREPARACIÓN: 40 minutos

1. Batir los huevos y mezclar con harina, leche, aceite, agua y sal. Dejar reposar la masa unos 20 minutos. Añadir un poco más de agua si hace falta.

2. Para el relleno, pelar la cebolla y el ajo y trocearlos bien. Calentar 2 cucharadas de aceite en una sartén y sofreír la cebolla y el ajo. Añadir la carne picada y guisarlo todo junto sin dejar de remover.

3. Agregar el extracto de tomate, condimentar con sal, pimienta y nuez moscada. Seguir guisando sin dejar de remover. Añadir el vino. Mezclar el almidón con un poco de agua e emplearlo para ligar la salsa. Añadir nata y hierbas.

4. Precalentar el horno a 50°. Calentar aceite en una sartén y hacer las crepes una detrás de otra. Cubrir cada crepe con una capa del relleno de carne picada, enrollar y conservarlas calientes hasta el momento de servirlas. Se pueden acompañar con una ensalada verde.

SUGERENCIA

Si le ha quedado un poco de masa para crepes, añádale algo de agua y haga unas crepes muy finas. Cortadas a tiras son un excelente complemento para cualquier sopa.

VARIANTE

Coloque las crepes rellenas en una fuente de aluminio y espolvoree sobre ellas 50 g de queso rallado. Precaliente el horno a 200° y gratínelas durante 20 minutos.

Valores nutricionales por ración:

670 kcal • **31 g** proteínas • **38 g** grasas • **48 g** carbohidratos

Burritos
con relleno de pollo

INGREDIENTES
PARA 2 PERSONAS

PARA 4 BURRITOS

120 g de harina de maíz
120 g de harina blanca sin gluten
1 pizca de sal
2 cucharadas de aceite
300 ml de agua
2 cucharadas de aceite

PARA EL RELLENO

250 g de filetes de pechuga
de pollo
1 cebolla
1-2 dientes de ajo
2 cucharadas de aceite
400 g de tomate troceado
(envasado)
1 cucharada de pimentón dulce
en polvo
1 cucharadita de
pimentón rojo picante
sal
1 pizca de chile en polvo
2 cucharadas de aceite

PREPARACIÓN: 50 minutos

1. Para los burritos, mezclar en un recipiente ambos tipos de harina, añadir sal, aceite y agua, y hacer una masa homogénea. Dejar reposar durante 20 minutos.

2. Para el relleno, lavar el pollo, secarlo y cortarlo a taquitos. Pelar la cebolla y los dientes de ajo, y picarlos bien. Calentar el aceite en una sartén y freír brevemente los tacos de pollo, añadir la cebolla y el ajo, y freír un poco más.

3. Añadir el tomate troceado con su jugo y sazonar con sal y los dos tipos de pimentón. Seguir guisando el relleno hasta que se espese, condimentar con chile en polvo y azúcar.

4. Precalentar el horno a 50°. calentar el aceite en una sartén. Verter cada vez 3-4 cucharadas de masa en la sartén, esparcirla con una cuchara o espátula mojada y hacer los burritos de modo que queden crujientes por ambas caras. Cubrir los burritos con papel de aluminio y guardarlos en el horno para que se mantengan calientes. Colocar el relleno caliente sobre los burritos, de uno en uno, y doblarlos por la mitad.
Servirlos inmediatamente. Se pueden acompañar con una ensalada verde.

VARIANTES

Espolvoree 50 g de queso rallado sobre los burritos y colóquelos 8-10 minutos en el horno a 200° hasta que el queso se funda.

Si le gustan más los platos vegetarianos, en vez de carne puede emplear 300 g de verduras tales como pimiento y calabacín.

SUGERENCIA

Cuando vaya con prisas, emplee una salsa sin gluten ya preparada (como por ejemplo la salsa Texicana de Maggi) para añadirla a la pechuga de pollo.

Valores nutricionales por ración:

427 kcal • **19 g** proteínas • **17 g** grasas • **48 g** carbohidratos

Tortilla de calabacín

**INGREDIENTES
PARA 4 PERSONAS**

300 g de calabacín
2 cebollas pequeñas
2 dientes de ajo
50 g de salami o jamón dulce
6 cucharadas de aceite de oliva
6 huevos
sal, pimienta
1 cucharadita de orégano picado

PREPARACIÓN: 30 minutos

1. Lavar los calabacines y cortarlos a taquitos. Pelar las cebollas y los ajos y picarlos bien. Cortar el salami a taquitos. Calentar 2 cucharadas de aceite de oliva en una sartén y sofreír la cebolla y el ajo. Añadir los trocitos de calabacín y salami, freír a fuego medio durante 5 minutos.

2. Batir los huevos en un recipiente grande, condimentar con sal y pimienta. Añadir la mezcla de calabacín y el orégano picado. Calentar 2 cucharadas de aceite en una sartén. Verter la mezcla de huevos y calabacín, dejar que se haga a fuego lento.

3. Darle la vuelta a la tortilla sobre un plato, calentar el resto del aceite en la sartén, y dorarla por la otra cara. Servir inmediatamente. Se puede acompañar con pan tierno sin gluten o con unas patatas pequeñas fritas en aceite de oliva.

SUGERENCIAS

La tortilla de calabacín también se puede comer fría y es muy sabrosa como primer plato: acompáñela con la salsa picante de la página 29.

VARIANTE

Para hacer una tortilla de patatas, en vez de calabacines emplee 300 g de patatas hervidas o fritas y 2 tomates cortados a tacos.

Valores nutricionales por ración:

315 kcal • **13 g** proteínas • **28 g** grasas • **2 g** carbohidratos

Masa para pizza

500 g de harina blanca sin gluten
1 sobrecito de levadura seca
1 cucharadita de sal marina
1 cucharadita de azúcar de caña
integral
2 cucharadas de aceite de oliva
450 ml de agua tibia
Papel de hornear para la bandeja

PREPARACIÓN: 20 minutos
REPOSO: 30 minutos

1. Mezclar la harina con la levadura seca, la sal y el azúcar. Añadirle el aceite y el agua y amasar hasta conseguir una masa uniforme.

2. Cubrir la bandeja del horno con papel para hornear. Aplanar la masa sobre la bandeja y dejarla subir en el horno caliente durante unos 20 minutos (ver sugerencia).

3. Añadir los ingredientes de la pizza al gusto de cada uno (ver página 50).

SUGERENCIA

Para que la masa sin gluten se haga bien necesita mucha humedad. Este método resulta muy útil: caliente el horno brevemente a 50 °C y desconéctelo (a unos 35 °C). Coloque la masa aplanada sobre la bandeja del horno y ponga por encima de ella una bandeja de rejilla cubierta con un paño de cocina húmedo. ¡Acuérdese de sacar el trapo antes de hornear!

Valores nutricionales por ración:

1975 kcal • **15 g** proteínas • **25 g** grasas • **427 g** carbohidratos

Focaccia

INGREDIENTES PARA 2 MOLDES REDONDOS DE 30 cm DE Ø (DE 8 PORCIONES CADA UNO)

1 receta de masa para pizza
(ver arriba)
100 ml de aceite de oliva
4-5 cucharadas de hojas frescas
de romero
mantequilla para el molde

PREPARACIÓN: 20 minutos
REPOSO: 20 minutos
HORNEADO: 2×25 minutos

1. Precalentar el horno. Engrasar los moldes con mantequilla. Preparar la masa de pizza según la receta. Aplanar la masa, ponerla en los moldes y dejar que suba en el horno caliente durante 20 minutos (ver sugerencia de arriba).

2. Sacar los moldes del horno. Precalentar el horno. Calentar el aceite en una sartén, añadir las hojitas de romero y dejarlas 10 minutos.

3. Hacer cortes cruzados sobre la masa y untarla con la mitad del aceite caliente. Hornear los panes durante 20-25 minutos cada uno a 250° en el centro del horno, o a 220° simultáneamente en las posiciones central e inferior.

4. Untar los panes calientes con el resto del aceite y servir calientes. La focaccia es ideal con antipasti.

VARIANTE

En vez de emplear hojitas de romero puede exprimir dos dientes de ajo en el aceite hirviendo y añadir 2-3 cucharadas de hierbas italianas secas para untar la focaccia con esta mezcla.

Valores nutricionales por ración:

165 kcal • **1 g** proteínas • **6 g** grasas • **26 g** carbohidratos

Pizza familiar
multicolor

**INGREDIENTES PARA
1 BANDEJA DE HORNO
(16 PORCIONES) O 2 MOLDES
REDONDOS DE 28 cm DE Ø**

800 g de pulpa de tomate troceado
(producto envasado)
1 receta base de masa para pizza
(ver página 48)
1/2 cucharadita de sal
250 g de mozzarella
1 cucharada de hierbas secas
(por ejemplo tomillo, orégano)
2 cucharadas de aceite de oliva

PREPARACIÓN: 40 minutos
REPOSO: 20 minutos
HORNEADO: 25 minutos

1. Precalentar el horno. Escurrir bien el tomate troceado, repartirlo uniformemente sobre la masa y añadir un poco de sal. Cortar la mozzarella a trocitos y distribuirla sobre el tomate.

2. Espolvorear la pizza con las hierbas. Salpicar con aceite de oliva y hornear durante 20-25 minutos a 250º.

SUGERENCIA

Recoja el líquido del tomate: es ideal para preparar una sabrosa salsa de tomate.

VARIANTES

Si le añade 100 g de jamón dulce cortado a tiras y 5 rodajas de piña obtendrá una estupenda pizza hawaiana.

Otra alternativa es añadir 100 g de salami cortado a tiras, champiñones frescos cortados a lonchas y corazones de alcachofa (de frasco).

Si le gusta el pescado, añádale atún de lata y algunas aceitunas.

Si prefiere una alternativa dulce, unte la masa con 500 g de puré de bayas variadas. Corte a rodajas una bola de mozzarella de búfalo y cubra con ellas la pizza dulce. Antes de meterla en el horno, espolvoréela con 2-3 cucharadas de azúcar integral de caña.

Valores nutricionales por ración:

180 kcal • **5 g** proteínas • **6 g** grasas • **28 g** carbohidratos

Pizza de polenta

PARA UNA BANDEJA DE HORNO (16 RACIONES)

PARA LA MASA

750 ml de agua
1/2 cucharadita de sal
1 cucharada de mantequilla
250 g de sémola de maíz

PARA LA COBERTURA

800 g de tomate troceado (envasado)
125 g de mozzarella
100 g de jamón cocido
sal, pimienta
1 cucharada de hierbas secas
1 cucharada de aceite de oliva
papel para hornear

PREPARACIÓN: 35 minutos
REPOSO: 30 minutos
HORNEADO: 25 minutos

1. Poner a hervir el agua con sal y mantequilla. Verter la sémola de maíz y cocer 5 minutos sin dejar de remover. Bajar luego el fuego al mínimo y seguir cociendo durante 30 minutos. Remover con frecuencia.

2. Precalentar el horno. Cubrir una bandeja de horno con el papel para hornear. Colar el tomate y dejar que escurra bien. Esparcir la polenta sobre la bandeja formando una capa de unos 2 cm de espesor. La bandeja no quedará cubierta por completo. Dejar que se enfríe.

3. Cubrir la polenta con los trozos de tomate. Trocear la mozzarella, cortar el jamón a tiras y distribuirlos uniformemente sobre la pizza. Condimentar con sal y pimienta. Espolvorear las hierbas por encima. Salpicar con el aceite de oliva.

4. Precalentar el horno a 200°, hornear durante 25 minutos y servir caliente. Se puede acompañar con una ensalada variada.

SUGERENCIA

A la pizza le puede añadir ingredientes a su gusto: en vez de jamón puede emplear salami o atún de lata.

VARIANTE

¡La polenta también es muy sabrosa en porciones!

Prepare la polenta como se indica en el paso 1 y extienda la masa sobre una bandeja de horno o una fuente también con un grosor de 2 cm. Dejar enfriar. Batir dos huevos en un plato hondo. Rallar 100 g de queso parmesano en otro plato y mezclarlos con 2 cucharadas de pan rallado sin gluten. Cuando la masa de polenta se enfríe, cortarla a cuadrados o a triángulos. Pasar las porciones de polenta primero por el huevo, y luego rebozarlas con la mezcla de queso y pan rallado. Calentar 3 cucharadas de aceite en una sartén. Dorar las porciones por ambas caras.

Valores nutricionales por ración:

98 kcal • **5 g** proteínas • **3 g** grasas • **13 g** carbohidratos

Masa con levadura

PARA UNA BANDEJA DE HORNO (16 RACIONES)

250 g de harina blanca sin gluten
1 sobre de levadura seca
125 g de requesón dietético
60 ml de aceite
1/2 cucharadita de sal
1 huevo
mantequilla para la bandeja

PREPARACIÓN: 15 minutos
REPOSO: 20 minutos

1. Engrasar la bandeja del horno. Mezclar la harina con la levadura. Añadir requesón, aceite, sal y huevo, amasar hasta conseguir una masa uniforme. Añadir un poco de agua si es necesario. Aplanar la masa con el rodillo, colocarla sobre la bandeja y dejarla durante 20 minutos en el horno caliente para que suba (ver sugerencia de la página 48).

2. Cubrir la masa al gusto (ver más abajo).

VARIANTE

Esta masa también es una excelente base para hacer tartas de frutas: en vez de 1/2 cucharadita de sal, añadir a la masa sólo una pizca de sal y además 50 g de azúcar y una pizca de piel de limón rallada. Antes de meterla en el horno, cubrirla con frutas al gusto.

Valores nutricionales por ración:

90 kcal • **2 g** proteínas • **3 g** grasas • **14 g** carbohidratos

Tarta de cebolla

PARA UNA BANDEJA DE HORNO (20 RACIONES)

1 receta base de masa con levadura (ver más arriba)
1 kg de cebollas
1 cucharada de aceite
125 g de nata
3 huevos
2 cucharadas de harina blanca sin gluten
sal, pimienta
50 g de taquitos de bacon
comino
mantequilla para la bandeja

PREPARACIÓN: 1 hora
REPOSO: 20 minutos
HORNEADO: 40 minutos

1. Preparar la masa con levadura según la receta. Engrasar la bandeja. Extender la masa sobre la bandeja haciendo un borde de unos 2 cm de altura. Colocar la masa en el horno caliente durante 20 minutos para que suba (ver sugerencia de la página 48).

2. Mientras tanto, pelar las cebolla y trocearlas. Calentar el aceite en una sartén y sofreír las cebollas. Dejar que se enfríen un poco. Mezclarlas con la nata, los huevos y la harina. Condimentar con sal y pimienta. Sacar la bandeja del horno.

3. Precalentar el horno. Esparcir las cebollas sobre la masa. Esparcir los taquitos de bacon y espolvorear un poco de comino. Hornear la tarta de cebolla durante 30-40 minutos a 220º hasta que quede dorada. Cortarla a cuadrados y servir.

SUGERENCIA

Una vez fría, la tarta de cebolla se puede congelar para guardarla: ¡recalentada también es muy sabrosa!

Valores nutricionales por ración:

150 kcal • **3 g** proteínas • **7 g** grasas • **17 g** carbohidratos

Masa de requesón y aceite

150 g de requesón dietético
6 cucharadas de leche
6 cucharadas de aceite de oliva
1 pizca de sal
300 g de harina blanca sin gluten
1 sobrecito de polvo para hornear
harina para la superficie de trabajo

PREPARACIÓN: 15 minutos

1. Mezclar bien el requesón con leche, aceite y sal. Mezclar la harina con la levadura Royal y añadirla al resto. Mezclar bien todos los ingredientes hasta conseguir una masa homogénea. Añadir un poco más de harina si hace falta.

2. Extender cuidadosamente la masa y seguir trabajándola según cada receta (ver página 58).

SUGERENCIA

Con esta masa se pueden hacer tartas tanto saladas como dulces. En la página 58 encontrará unas recetas muy apetecibles para esta masa.

Valores nutricionales en total:

1745 kcal • **29 g** proteínas • **66 g** grasas • **259 g** carbohidratos

Masa de hojaldre con requesón

250 g de harina blanca sin gluten
1 cucharadita de polvo para hornear
1 pizca de sal
200 g de requesón dietético
160 g de margarina
harina para la superficie de trabajo

PREPARACIÓN: 30 minutos
REPOSO: 30 minutos

1. Mezclar la harina con la sal y la levadura Royal. Aplastar un poco el requesón en un paño de cocina y añadirlo a la harina junto con la margarina. Mezclar bien todos los ingredientes y amasar hasta obtener una masa homogénea.

2. Colocar la masa sobre una superficie de trabajo espolvoreada con harina y extenderla con el rodillo hasta formar un cuadrado de 1-2 cm de grosor. Doblar la masa hacia el centro desde la derecha y la izquierda, y desde arriba y abajo. Volver a pasar el rodillo. Repetir los dobleces y el aplanado 6 veces, espolvoreando cada vez un poco de harina sobre la masa.

3. Envolver la masa con film de cocina y guardarla durante 30 minutos en un lugar fresco. Extenderla y trabajarla según cada receta (ver página 58).

SUGERENCIA

Con esta masa se pueden hacer tortas saladas o dulces. En la página 58 encontrará algunas recetas muy apetecibles.

Valores nutricionales en total:

2160 kcal • **33 g** proteínas • **132 g** grasas • **217 g** carbohidratos

Empanadillas de carne

INGREDIENTES
PARA 20 EMPANADILLAS

1 receta base de masa de requesón y aceite, o bien
1 receta base de masa de hojaldre con requesón (ver página 56)
1 cebolla, 1/2 manojo de perejil
1 cucharada de aceite
1 pimiento rojo pequeño
50 g de queso emmental
400 g de carne de ternera picada
2 huevos
2 cucharadas de pan rallado sin gluten
sal, pimienta
1 cucharada de leche
harina para la mesa de trabajo
papel de hornear para la bandeja

PREPARACIÓN: 20 minutos
HORNEADO: 25 minutos

VARIANTE SALADA

Para hacer cruasanes de jamón hay que sustituir la masa de carne picada por 150 g de jamón cocido y 100 g de jamón serrano. Se pican bien ambos tipos de jamón y se mezclan; se coloca una cucharada de la mezcla en el centro de los cuadrados de la masa. Enrollar empezando por una esquina para darles forma de cruasán y seguir trabajándolos como las empanadillas.

1. Precalentar el horno. Cubrir la bandeja del horno con papel para hornear. Preparar la masa según la receta correspondiente y extenderla sobre una superficie espolvoreada con harina hasta que tenga un grosor de unos 3 mm. Cortar cuadrados de 10-12 cm.

2. Pelar las cebollas y cortarlas a trocitos. Lavar el perejil y picarlo bien. Calentar 2 cucharadas de aceite en una sartén y sofreír la cebolla. Añadir el perejil al final. Dejar enfriar.

3. Lavar y limpiar el pimiento, cortarlo a taquitos. Cortar el queso a taquitos. Mezclar en un recipiente la carne picada y la cebolla con perejil. Añadir 1 huevo y el pan rallado. Mezclar bien todos los ingredientes. Condimentar con sal y pimienta.

4. Colocar 1 cucharada de la masa de carne picada en cada cuadrado de masa. separar el segundo huevo. Untar los bordes de dos lados con clara de huevo, cerrar en forma triangular y aplanar los bordes con un tenedor de cocina.

5. Batir la yema con la leche y untar las empanadillas. Dorarlas durante 20-25 minutos en el horno a 220º. Dejarlas enfriar sobre una rejilla.

VARIANTES DULCES

Para hacer empanadillas de manzana se hierven momentáneamente 4-5 manzanas cortadas a trocitos con un poco de azúcar. Se escurren y el agua hirviendo se emplea para escaldar 4 cucharadas de pasas. Dejar que se enfríe un poco la manzana. Mezclarla con 2 cucharadas de almendras picadas y dos pizcas de canela. Colocar esta mezcla en el centro de los cuadrados de masa. Doblar las esquinas hacia el centro y apretar. Seguir trabajándolas como las empanadillas de carne.

Para los cruasanes de avellana se mezclan 250 g de avellanas molidas con 4 cucharadas de azúcar, 1 sobre de azúcar de vainilla al Bourbon y 100 g de nata hasta conseguir una mezcla homogénea. Colocar 1 cucharada de mezcla en cada cuadrado de masa. Enrollar empezando por una esquina, dar forma a los cruasanes y seguir trabajándolos como las empanadillas de carne.

Valores nutricionales por ración:

163 kcal • **7 g** proteínas • **9 g** grasas • **14 g** carbohidratos

Quiche de puerro

**INGREDIENTES PARA
UN MOLDE DE 28 cm DE Ø
(12 RACIONES)**

PARA LA MASA

220 g de harina sin gluten
100 g de mantequilla fría
1 pizca generosa de sal
3 cucharadas de agua fría

PARA LA COBERTURA

300 g de puerros
2 cucharadas de aceite de oliva
150 ml de leche, 100 g de nata
3 huevos
sal, pimienta
50 g de queso emmental rallado
papel de hornear y grasa para
el molde

PREPARACIÓN: 40 minutos

HORNEADO: 40 minutos

1. Mezclar la harina con mantequilla, sal y agua para hacer la masa. Si es necesario, añadir más agua o harina. Envolver la masa con film de cocina y guardarla en la nevera durante 1 hora.

2. Precalentar el horno. Cubrir el horno con papel para hornear y engrasar ligeramente los bordes. Extender la masa y colocarla en el molde. Formar un borde de unos 2 cm.

3. Limpiar el puerro, lavarlo bien y cortarlo a tiras de 1 cm. Calentar el aceite en una sartén y freír las tiras de puerro durante unos 5 minutos.

4. Batir la leche con la nata y los huevos. Condimentar con sal y pimienta. Añadir el puerro y el queso. Verter la mezcla sobre la masa. Colocar la quiche en el horno y dejarla durante 30-40 minutos a 200°. Servir caliente.

SUGERENCIA

Junto con el puerro, fría también algunos taquitos de bacon.

VARIANTE

Para una quiche de calabacín necesitará:

300 g de calabacín

2 cucharadas de aceite de oliva

1 diente de ajo

200 g de nata

2 huevos

sal, pimienta

Lavar los calabacines y cortarlos a rodajas. Calentar aceite en una sartén y freír los calabacines durante unos 3 minutos. Dejar enfriar un poco. Pelar el ajo y picarlo bien. Batir la nata con los huevos y el ajo, condimentar con sal y pimienta. Añadir las rodajas de calabacín a la mezcla y esparcirla uniformemente sobre la masa. El tiempo de horneado es el mismo.

Valores nutricionales por ración:

220 kcal • **4 g** proteínas • **15 g** grasas • **17 g** carbohidratos

Pastas de queso

INGREDIENTES PARA 2 BANDEJAS DE HORNO (10 UNIDADES EN CADA UNA)

PARA LA MASA

150 g de amaranto molido
(o trigo negro)
150 g de harina blanca sin gluten
2 cucharaditas de harina
de algarroba
1 cucharadita de levadura
sin gluten para hornear
120 g de mantequilla fría
100 g de requesón dietético
1 cucharadita de sal
1 huevo
100 g de queso curado rallado
1 yema de huevo
1 cucharada de leche

PARA ESPOLVOREAR

Comino, semillas de sésamo
peladas, semillas de amapola,
sal marina gruesa, pistachos
o almendras picadas
Harina para la superficie
de trabajo
Papel de hornear para las
bandejas

PREPARACIÓN: 25 minutos
REPOSO: 1 hora
HORNEADO: 2 × 15 minutos

1. Mezclar el amaranto molido con los dos tipos de harina y el polvo de hornear; extender sobre una tabla. Repartir la mantequilla por encima a trocitos. Batir el requesón con sal, huevo y queso rallado. Mezclar con la harina y hacer una masa homogénea. Envolver la masa con film de cocina y dejarla reposar una hora en frío.

2. Precalentar el horno. Cubrir las bandejas con papel para hornear. Extender la masa sobre la tabla (cubierta de harina) formando un rectángulo de unos 6 mm de grosor. Empleando un cuchillo o una ruedecilla para masa, cortar rombos de unos 6 por 3 cm. Colocar los rombos sobre las bandejas de horno.

3. Batir la yema de huevo con la leche y untar la masa con ello. Espolvorear las pastas con comino, sésamo, amapola, sal gruesa, pistachos picados o almendra picada. Hornear las bandejas en dos tandas de 12-15 minutos a 220°. Dejar que las pastas se enfríen sobre una rejilla.

SUGERENCIAS

Emplee moldes de fantasía para sus pastas. Las pastas de queso pueden tener forma de corazones, estrellas o aros.

Si las guarda en una lata que cierre bien, se conservarán hasta una semana.

Valores nutricionales por ración:

150 kcal • **5 g** proteínas • **9 g** grasas • **12 g** carbohidratos

Postre de manzana a la francesa

**INGREDIENTES
PARA 6 PERSONAS**

4-6 manzanas ligeramente ácidas
3-4 cucharadas de azúcar
100-125 g de harina blanca sin
gluten
50 g de almendras molidas
100 g de azúcar
1/2 cucharadita de canela
75 g de mantequilla
mantequilla para el molde

PREPARACIÓN: 30 minutos
HORNEADO: 30 minutos

1. Precalentar el horno. Untar el molde con mantequilla. Pelar las manzanas y cortarlas a rodajas. Cocerlas brevemente en poca agua y con azúcar. Deberán quedar *al dente*. Escurrirlas en un colador y colocarlas en el molde.

2. Para la cobertura, mezclar la harina con almendras, azúcar y canela. Añadir la mantequilla en copos y mezclar bien. Añadir más harina o mantequilla si fuese necesario.

3. Esparcir la cobertura sobre la manzana. Hornear de 25 a 30 minutos a 200º. La cobertura ha de quedar ligeramente dorada. Servir este postre cuando todavía esté caliente.

VARIANTE

Este postre también resulta muy sabroso con bayas variadas. Pero no hay que cocerlas previamente. La canela se puede sustituir por azúcar de vainilla. El tiempo de horneado es el mismo.

Valores nutricionales por ración:

270 kcal • **2 g** proteínas • **16 g** grasas • **28 g** carbohidratos

Frutas del bosque con salsa de vainilla

**INGREDIENTES
PARA 4 PERSONAS
PARA LAS FRUTAS DEL BOSQUE**

500 g de bayas
(por ejemplo grosellas,
fresas, frambuesas y cerezas)
2 cucharadas de azúcar
2 cucharadas de almidón
alimentario

PARA LA SALSA DE VAINILLA

250 ml + 3 cucharadas de leche
1 sobre de azúcar de vainilla
1-2 cucharadas de azúcar
1 cucharadita rasa de almidón
alimentario
1 yema de huevo
1 cucharada de nata

PREPARACIÓN: 30 minutos
REPOSO: 2 horas

1. Limpiar las bayas, cortar las fresas por la mitad, deshuesar las cerezas y hervir toda la fruta con azúcar. Deshacer el almidón en 3 cucharadas de agua fría, añadirlo a la fruta y dejar que hiervan 2 minutos más. Verterlas en un recipiente, taparlo y dejar reposar 2 horas en frío.

2. Para la salsa de vainilla, poner a hervir 250 ml de leche con azúcar y azúcar de vainilla. Mezclar el almidón con 3 cucharadas de leche fría y añadirlo al líquido caliente, llevar a ebullición y sacar del fuego.

3. Batir la yema de huevo con la nata y añadirlo al líquido caliente,

no dejar que vuelva a hervir. Dejar que la salsa se enfríe. Removerla con frecuencia para que no se forme una película en la superficie. Servir por raciones con las frutas del bosque.

SUGERENCIA

En vez de fruta fresca también se pueden emplear bayas variadas congeladas.

Valores nutricionales por ración:

235 kcal • **4 g** proteínas • **7 g** grasas • **37 g** carbohidratos

Mousse de naranja ligera

**INGREDIENTES
PARA 4-6 PERSONAS**

1 sobre de gelatina en polvo
300 ml de zumo de naranja recién exprimido
2 huevos
80 g de azúcar
3 cucharadas de licor de naranja (si lo desea)
1 naranja

PREPARACIÓN: 40 minutos

REPOSO: 4 horas

1. Preparar la gelatina según las instrucciones del envase.

2. Calentar el zumo de naranja y deshacer la gelatina en él removiendo constantemente. Dejar enfriar la masa.

3. Separar los huevos. Batir las yemas con el azúcar. Mezclar con la gelatina de naranja y añadir el licor.

4. Batir la nata, batir las claras a punto de nieve y añadirlo todo a la masa. Tapar y dejar reposar en frío durante 4 horas.

5. Lavar la naranja en caliente y secarla bien. Rallar la piel finamente y cortar la naranja a gajos. Cortar porciones de la mus de naranja con dos cucharas soperas, colocarlas en un plato, decorar con los gajos de naranja y espolvorear con la piel rallada.

VARIANTE

En épocas navideñas, añádale a este postre una pizca de canela y otra de clavo en polvo.

Valores nutricionales por ración:

275 kcal • **6 g** proteínas • **15 g** grasas • **24 g** carbohidratos

Crema de cuajada a la finlandesa

**INGREDIENTES
PARA 4-6 PERSONAS**

1 sobre de gelatina en polvo
500 ml de cuajada
4 cucharadas de azúcar
1 sobre de azúcar de vainilla Bourbon
200 g de nata
500 g de fresones
1 cucharadita de azúcar
50 g de almendras en láminas

PREPARACIÓN: 30 minutos

REPOSO: 4 horas

1. Preparar la gelatina según las instrucciones del envase.

2. Mezclar la cuajada con azúcar y azúcar de vainilla. Calentar la gelatina en una olla pero sin dejar que llegue a hervir. Empezar por mezclar la gelatina disuelta con 2-3 cucharadas de cuajada con azúcar, añadir luego el resto de cuajada.

3. En cuanto la crema empiece a convertirse en gel, batir la nata. Mezclarla con la crema y dejar reposar en frío durante por lo menos 4 horas.

4. Para la salsa de fruta, lavar los fresones, escurrirlos bien, quitarles las hojas y triturarlos con azúcar hasta obtener un puré. Dorar las almendras en una sartén sin aceite hasta que desprendan su aroma. Colocarlas sobre la crema de cuajada poco antes de servirla, acompañar con la salsa de fresones.

VARIANTE

En vez de salsa de fresones también se puede hacer una salsa de cerezas. Hierva las cerezas con un poco de azúcar y una ramita de canela. Espesar con 2 cucharaditas de almidón (fécula) de maíz. Servir la salsa cuando aún esté caliente.

Valores nutricionales por ración:

335 kcal • **9 g** proteínas • **22 g** grasas • **27 g** carbohidratos

Gofres

INGREDIENTES PARA 8 GOFRES

125 g de mantequilla

3 cucharadas de azúcar integral de caña

1 pizca de sal

1 sobre de azúcar de vainilla

3 huevos

200 g de harina de trigo negro

50 g de almidón (fécula) de patata o de maíz

2 cucharaditas rasas de polvo para hornear

250 ml de leche

aceite para la plancha de hacer los gofres

azúcar en polvo para espolvorear

PREPARACIÓN: 20 minutos

HORNEADO: 8 × 5 minutos

1. Batir bien los huevos con mantequilla, azúcar, sal y azúcar de vainilla. Mezclar la harina con almidón y polvo para hornear, agregar leche y mezclarlo con la masa.

2. Untar con aceite la plancha de hacer los gofres y calentarla. Poner cada vez una cucharada de masa en la plancha y calentarla durante 5 minutos hasta que la masa quede dorada. Espolvorear los gofres con azúcar y servirlos de inmediato.

SUGERENCIA

Son ideales para las fiestas de cumpleaños de los niños. Puede prepararlos, por ejemplo, con mermelada, con crema de avellanas y chocolate, con compota de manzana, con nata o con fresas.

VARIANTE

Añádale a la masa 1 cucharada de almendras o nueces picadas. También resulta muy sabrosa si se le añade manzana rallada.

Valores nutricionales por ración:

370 kcal • **6 g** proteínas • **22 g** grasas • **38 g** carbohidratos

Pastas con pasas

INGREDIENTES PARA 4 PERSONAS

75 g de pasas

500 g de patatas hervidas harinosas (preferiblemente del día anterior)

2 huevos

250 g de requesón dietético

75 g de azúcar

1 pizca de canela

1 cucharadita de piel de limón rallada

1 pizca de sal

50 g de harina blanca sin gluten

100 g de mantequilla para freír

canela y azúcar para espolvorear

PREPARACIÓN: 45 minutos

1. Escaldar las pasas con agua hirviendo. Pelar las patatas hervidas el día anterior y chafarlas. Mezclar los huevos con requesón, azúcar, canela, piel de limón rallada y sal, añadirlo a las patatas. Añadir la harina y las pasas y amasar bien la masa de patata.

2. Fundir la mantequilla en una sartén. Tomar porciones de la masa con una cuchara de cocina, colocarlas en la sartén y aplastarlas un poco. Dorar las pastas por ambas caras. Espolvorearlas con azúcar y canela y servirlas aún calientes. Se pueden acompañar con salsa de vainilla o compota de manzana.

SUGERENCIA

Guarde las pastas en el horno precalentado hasta el momento de servirlas.

Valores nutricionales por ración:

585 kcal • **13 g** proteínas • **26 g** grasas • **75 g** carbohidratos

Pastelillo de arroz con requesón y manzana

**INGREDIENTES
PARA 4 PERSONAS**

200 g de arroz con leche

600 ml de leche

1 pizca de sal

2 huevos

7 cucharadas de azúcar

250 g de requesón dietético

1/2 cucharadita de piel de limón rallada

3 manzanas algo ácidas

3 cucharadas de almendras cortadas a láminas

1 cucharada de copos de mantequilla

mantequilla o grasa para el molde

PREPARACIÓN: 30 minutos

HORNEADO: 40 minutos

1. Lavar el arroz con agua fría. Calentar la leche y añadirle el arroz y la sal. Dejar que el arroz se ablande a temperatura suave durante unos 15 minutos, pero sin que se ponga demasiado blando.

2. Precalentar el horno. Engrasar el molde. Separar los huevos. Batir las yemas con el azúcar, añadir el requesón y la piel de limón. Dejar que se enfríe un poco el arroz y mezclarlo con la masa de huevo. Batir las claras y añadirlas también.

3. Verter la mitad de la masa en el molde. Pelar las manzanas, cortarlas a finas rodajas y colocarlas sobre la masa de arroz. Cubrir con el resto de masa de arroz. Espolvorear con hojitas de almendra y copos de mantequilla. Hornear durante unos 40 minutos a 200º hasta que se dore. Se puede acompañar con compota o salsa de fruta.

SUGERENCIA

Si le gustan las pasas, escalde 2 cucharadas de pasas con agua hirviendo y distribúyalas sobre la masa de arroz junto con la manzana.

Valores nutricionales por ración:

580 kcal • **22 g** proteínas • **16 g** grasas • **86 g** carbohidratos

Bizcocho de millo dulce

**INGREDIENTES
PARA 4 PERSONAS**

2 tazas de millo

2 tazas de agua

3 tazas de leche

1/2 limón

80 g de pasas

1-2 cucharadas de miel

1/2 cucharadita de cardamomo

1/2 cucharadita de canela

1 sobre de azúcar de vainilla Bourbon

50 g de avellanas

1 cucharada de copos de mantequilla

mantequilla para el molde

PREPARACIÓN: 30 minutos

HORNEADO: 30 minutos

1. Cocer el millo con agua y leche, dejar reposar 15-20 minutos.

2. Precalentar el horno. Engrasar el molde. Lavar el limón con agua caliente y secarlo. Rallar finamente la piel, exprimir el jugo. Añadirlo a la masa de millo caliente junto con pasas, miel, cardamomo, canela y azúcar de vainilla.

3. Llenar el molde con la masa. Picar las avellanas y esparcirlas por encima. Añadir los copos de mantequilla. Hornear durante 25-30 minutos a 200º. Servir el bizcocho todavía caliente. Se puede acompañar con compota de manzana o de ciruelas.

VARIANTES

Añada fruta fresca, como gajos de manzana o de pera, a la masa de millo antes de ponerla en el horno.

Puede sustituir las pasas por bayas o almendras picadas.

Valores nutricionales por ración:

495 kcal • **14 g** proteínas • **16 g** grasas • **76 g** carbohidratos

Tiramisú de frambuesa

**INGREDIENTES
PARA 6 PERSONAS**

1 receta base de bizcocho de
almendras (ver abajo, variante)
4 cl de licor de frambuesa (si le
gusta)
300 g de frambuesas
500 g de requesón dietético
250 g de mascarpone
150 g de azúcar
1 sobre de azúcar de vainilla
200 g de nata

PREPARACIÓN: 40 minutos
HORNEADO: 30 minutos
REPOSO: 4 horas

1. Preparar el bizcocho de almendras según la receta base (ver abajo). Dejar enfriar y colocar en un molde redondo.

2. Salpicar el bizcocho con licor de frambuesa. Lavar las frambuesas y apartar algunas para emplearlas como decoración, hacer puré con las demás. Esparcir el puré de frambuesas sobre el bizcocho.

3. Mezclar el requesón con mascarpone, azúcar y azúcar de vainilla hasta obtener una masa cremosa. Batir la nata, apartar 4 cucharadas para decorar y añadir el resto a la crema. Esparcirla sobre la capa de frambuesa. Dejar el tiramisú en la nevera durante unas 4 horas.

4. Antes de servir, decorar con las frambuesas apartadas y con unos toques de nata.

SUGERENCIA

El tiramisú de frambuesa se puede preparar con un día de antelación.

Valores nutricionales por ración:

825 kcal • **23 g** proteínas • **48 g** grasas • **72 g** carbohidratos

Bizcocho

**INGREDIENTES
PARA UN MOLDE DE 28 cm DE Ø
(12 PIEZAS)**

3 huevos
3 cucharadas de agua hirviendo
150 g de azúcar
1 sobre de azúcar de vainilla
150 g de harina blanca sin gluten
papel de hornear y mantequilla
para el molde

PREPARACIÓN: 20 minutos
HORNEADO: 25 minutos

1. Precalentar el horno. Cubrir el molde con papel para horno y engrasar ligeramente el borde. Batir los huevos con agua y añadir progresivamente azúcar y vainilla. Verter la harina y mezclar rápidamente.

SUGERENCIA

Esta base de bizcocho es realmente multiusos, ya que se puede emplear tanto con recubrimientos de frutas como para tartas de nata.

2. Extender la masa uniformemente sobre el molde. Hornear durante 20-25 minutos a 200°. Sacar del molde, colocar sobre una rejilla, desprender el papel y dejar que se enfríe por debajo.

VARIANTE

Bizcocho de almendras: emplee 150 g de almendras molidas y 50 g de fécula de maíz en vez de 150 g de harina sin gluten.

Bizcocho de chocolate: sustituye 2 cucharadas de harina por 2 cucharadas de cacao en polvo.

Valores nutricionales por ración:

120 kcal • **2 g** proteínas • **2 g** grasas • **24 g** carbohidratos

Tarta de frambuesa y requesón

INGREDIENTES PARA 1 MOLDE DE 28 cm DE Ø (12 RACIONES)

1 receta base de bizcocho
o bizcocho de almendra
(ver página 72)
2 sobres de gelatina en polvo
750 g de frambuesas
100 g de azúcar
500 g de requesón dietético
400 g de nata
papel de horno y mantequilla
para el molde

PREPARACIÓN: 40 minutos
HORNEADO: 4 horas

1. Cubrir el molde con el papel, engrasar ligeramente el borde. Preparar el bizcocho o bizcocho de almendras según la receta base.

2. Disolver y preparar la gelatina según las instrucciones. Calentar en una olla y no dejar que llegue a hervir. Lavar las frambuesas, apartar algunas para decorar y hacer puré con las demás. Mezclar con azúcar y requesón. Mezclar 2-3 cucharadas de la masa de requesón con la gelatina, luego añadir la gelatina a la masa de requesón.

3. Batir la nata, apartar 4 cucharadas para decorar, mezclar el resto con la masa. Colocar un aro de molde alrededor de la base de bizcocho. Rellenar con la masa y alisar la superficie. Dejar la tarta en la nevera para que cuaje, mejor durante toda la noche.

4. Antes de servir, decorarla con las frambuesas apartadas y con unos toques de nata.

SUGERENCIA

Esta tarta también resulta muy sabrosa con frambuesas congeladas.

Valores nutricionales por ración:

360 kcal • **13 g** proteínas • **19 g** grasas • **34 g** carbohidratos

Tarta de queso sin base

INGREDIENTES PARA 1 MOLDE DE 28 cm DE Ø (12 RACIONES)

1 limón
200 g de mantequilla
200 g azúcar
4 huevos
750 g de requesón dietético
1 cucharada de sémola de maíz
1 1/2 sobres de flan de vainilla en polvo (para 500 ml de leche)
papel de hornear y mantequilla para el molde

PREPARACIÓN: 30 minutos
HORNEADO: 1 hora

1. Precalentar el horno. Cubrir el molde con papel para hornear, engrasar ligeramente el borde. Lavar el limón con agua caliente y rallar la piel en seco. Exprimir el jugo.

2. Batir la mantequilla con el azúcar. Separar los huevos. Añadir las yemas, el zumo de limón y la piel de limón rallada y mezclar bien todos los ingredientes.

3. Añadir el requesón, la sémola de maíz y el flan en polvo; remover. Batir las claras y agregarlas a la masa. Verter la masa en el molde ya preparado y alisar la superficie.

4. Hornear a 220º. Pasados 30 minutos, bajar la temperatura a 200º y seguir horneando. Al cabo de otros 20 minutos, cubrir la tarta con papel de aluminio para que no se oscurezca demasiado. Dejar enfriar en el molde.

VARIANTES

En la masa de requesón se pueden incluir guindas de conserva bien escurridas y hornearlo todo junto.
También es muy sabroso con pasas.

Valores nutricionales por ración:

295 kcal • **11 g** proteínas • **17 g** grasas • **25 g** carbohidratos

Magdalenas de nueces con frutas

**INGREDIENTES PARA
UNA BANDEJA CON CAPACIDAD
PARA 12 PIEZAS**

200 g de cerezas
(también pueden ser de frasco)
60 g de nueces
140 g de harina blanca sin gluten
120 g de harina de trigo negro
3 cucharaditas de polvo para
hornear
1/2 cucharadita de canela
1 huevo
180 g de azúcar integral de caña
100 ml de aceite de oliva
1 sobre de azúcar de vainilla
Bourbon
250 g de yogur
grasa o 12 moldes de papel para la
bandeja de magdalenas

PREPARACIÓN: 30 minutos
HORNEADO: 25 minutos

1. Precalentar el horno. Engrasar la bandeja para magdalenas o colocar moldes de papel en los huecos.

2. Lavar las cerezas, deshuesarlas y cortarlas a taquitos. Escurrirlas bien en un colador. Picar las nueces. Poner la harina en un recipiente hondo, añadir la harina de trigo negro, el polvo para hornear, la canela y las nueces picadas. Mezclar bien.

3. Verter el huevo en una fuente y batirlo un poco. Añadirle azúcar, aceite, azúcar de vainilla y yogur.

Agregar la mezcla de harina. Añadir las cerezas.

4. Llenar los moldes con esta masa. Hornear a 200° durante 20-25 minutos. Sacar las magdalenas del molde y colocarlas sobre una rejilla.

VARIANTE

En vez de cerezas también se pueden emplear frambuesas, grosellas, fresas u otras frutas.

Valores nutricionales por ración:

255 kcal • **3 g** proteínas • **10 g** grasas • **37 g** carbohidratos

Magdalenas de chocolate con almendras

**INGREDIENTES PARA
UNA BANDEJA CON CAPACIDAD
PARA 12 PIEZAS**

100 g de mantequilla
80 g de azúcar integral de caña
1 pizca de sal
1 sobre de azúcar de vainilla
Bourbon
3 huevos
100 g de chocolate bitter
100 g de almendras molidas
80 g de harina sin gluten (o fécula de maíz)
1 cucharadita de levadura en polvo
200 g de glaseado de chocolate
(producto preparado)
grasa o 12 moldes de papel para la
bandeja

PREPARACIÓN: 30 minutos
HORNEADO: 25 minutos

1. Precalentar el horno. Engrasar la bandeja o colocar moldes de papel en los huecos.

2. Batir la mantequilla con azúcar, sal y vainilla. Batir los huevos y agregarlos progresivamente. Rallar el chocolate o fundirlo al baño María. Mezclarlo con almendras, harina y levadura en polvo y añadir al resto.

3. Rellenar los moldes con la masa y hornear a 200° durante unos 25 minutos. Dejar enfriar durante 5 minutos.

4. Deshacer el glaseado de chocolate al baño María. Sacar las magdalenas del molde, colocarlas sobre una rejilla y ponerles la cobertura de chocolate.

VARIANTE

Por Navidad se pueden añadir especias a la masa y decorar las magdalenas ya horneadas con unas estrellitas de mazapán.

Valores nutricionales por ración:

315 kcal • **5 g** proteínas • **23 g** grasas • **25 g** carbohidratos

Magdalenas de coco con naranja

**INGREDIENTES PARA
1 BANDEJA CON CAPACIDAD
PARA 12 PIEZAS**

PARA LA MASA

100 g de masa cruda de mazapán
150 g de mantequilla
80 g de azúcar, 4 huevos
1 pizca de sal
1 cdta. de piel de limón rallada
50 g de naranja confitada
125 g de coco rallado
2 cucharadas de fécula alimentaria

PARA LA COBERTURA

125 g de azúcar en polvo
2-3 cucharadas de zumo de limón
o de naranja
1 cdta. de piel de naranja rallada
grasa o 12 moldes de papel
para las magdalenas

PREPARACIÓN: 30 minutos
HORNEADO: 25 minutos

1. Precalentar el horno. Engrasar la bandeja para magdalenas o colocar los moldes de papel en los huecos.

2. Trocear bien la masa de mazapán y batirla con la mantequilla y el azúcar. Añadir huevos, sal y piel de limón. Picar muy finamente la naranja confitada y añadirla a la masa junto con el coco rallado y la fécula.

3. Colocar la masa en los moldes y hornear durante 20-25 minutos a 200° hasta que se doren.

4. Sacar las magdalenas del molde. Mezclar el azúcar en polvo con el zumo y untar las magdalenas mientras aún estén calientes. Espolvorearlas con la piel de naranja rallada. Dejar enfriar las magdalenas sobre una rejilla.

SUGERENCIA

Se consigue un efecto muy decorativo cortando la piel de naranja a tiras largas y muy finas.

Valores nutricionales por ración:

305 kcal • **4 g** proteínas • **21 g** grasas • **26 g** carbohidratos

Tarta de almendras

**INGREDIENTES PARA
1 BANDEJA DE HORNO
(20 PIEZAS)**

PARA LA MASA

1 tarrina de nata
1 taza de azúcar
1 pizca de sal
3 huevos
2 tazas de harina blanca sin gluten
1 sobre de levadura en polvo

PARA LA COBERTURA

150 g de mantequilla
2 cucharadas de miel
1 taza de azúcar
1 sobre de azúcar de vainilla
200 g de almendras en láminas
Papel de hornear para la bandeja

PREPARACIÓN: 35 minutos
HORNEADO: 30 minutos

1. Precalentar el horno. Cubrir la bandeja con papel para hornear. Batir nata, azúcar y sal. Añadir los huevos progresivamente. Mezclar la harina con la levadura y añadirlo a la masa. Mezclar bien todos los ingredientes. Extender la masa sobre la bandeja y hornear a 200° durante 12 minutos.

2. Para la cobertura, calentar en un cazo la mantequilla con miel, azúcar y vainilla, añadir las almendras y llevar a ebullición. Untar la masa de la tarta con esta mezcla y hornearla durante 12-15 minutos más.

SUGERENCIA

En esta receta, la tarrina vacía de la nata puede servir muy bien como medida para la harina y el azúcar.

VARIANTE

En vez de almendras también se pueden emplear avellanas.

Valores nutricionales por ración:

315 kcal • **5 g** proteínas • **16 g** grasas • **40 g** carbohidratos

Bizcocho de café

**INGREDIENTES PARA 1 MOLDE
ALARGADO DE 30 cm
(16 PORCIONES)**

200 g de mantequilla
250 ml de café expreso frío
250 g de harina blanca sin gluten
1 sobre de levadura en polvo
150 g de chocolate amargo
175 g de azúcar
1 pizca de sal
1 pizca de canela
200 g de avellanas molidas
4 huevos
papel de horno para el molde
azúcar en polvo para espolvorear

PREPARACIÓN: 30 minutos
HORNEADO: 1 hora

1. Precalentar el horno. Forrar el interior del molde con papel para hornear. Deshacer la mantequilla en un cazo y dejar enfriar. Preparar el café y dejarlo enfriar.

2. Verter la harina en un recipiente y mezclarla con la levadura en polvo. Rallar el chocolate. Añadirlo a la harina junto con el azúcar, la sal, la canela y las avellanas. Batir los huevos y añadirlos a la masa junto con la mantequilla fundida y el café.

3. Verter esta masa fluida en el molde. Hornear el bizcocho a 200° durante una hora.

4. Emplear un mondadientes para comprobar si el bizcocho ya está hecho. Dejar que se enfríe en el molde durante unos 5 minutos. Volcar sobre una rejilla y retirar el papel. Espolvorear el bizcocho con azúcar en polvo.

SUGERENCIAS

Cubra el bizcocho con un glaseado de chocolate.
Si lo envuelve en papel de aluminio y lo guarda en la nevera se conservará perfectamente durante bastantes días.

Valores nutricionales por ración:

350 kcal • **6 g** proteínas • **25 g** grasas • **28 g** carbohidratos

Tarta de trigo negro

**INGREDIENTES PARA 1 MOLDE
DE 26 cm DE Ø (12 PORCIONES)**

250 g de mantequilla
200 g de azúcar integral de caña
6 huevos
250 g de harina de trigo negro
250 g de avellanas molidas
1 sobre de levadura en polvo
1 frasco de arándanos rojos en conserva (unos 400 g)
azúcar en polvo para espolvorear
papel de hornear y grasa para el molde

PREPARACIÓN: 35 minutos
HORNEADO: 50 minutos

1. Precalentar el horno. Cubrir el molde con papel de hornear y engrasar ligeramente el borde.

2. Batir la mantequilla con 150 g de azúcar integral. Separar los huevos. Agregar las yemas una detrás de otra. Mezclar la harina de trigo negro con las almendras y la levadura, añadir a la masa. La masa será muy compacta.

3. Batir las claras con el resto del azúcar y añadirlo a la masa. Llenar el molde y hornear durante unos 50 minutos a 200°. Emplear un mondadientes para comprobar si el bizcocho está suficientemente

hecho. Sacar el bizcocho del molde y dejar enfriar sobre una rejilla.

4. Cortar el bizcocho horizontalmente por la mitad. Cubrir la mitad inferior con los arándanos y volver a tapar. Espolvorear con azúcar en polvo.

VARIANTE

En vez de almendras molidas se pueden emplear avellanas molidas.

Valores nutricionales por ración:

548 kcal • **10 g** proteínas • **33 g** grasas • **54 g** carbohidratos

Tarta de cerezas a la francesa

INGREDIENTES PARA 1 MOLDE DE 28 cm DE Ø (12 RACIONES)

1 frasco de guindas
(unos 700 g de contenido neto)
100 g de chocolate bitter
200 g de mantequilla
150 g de azúcar integral de caña
4 huevos
125 g de harina blanca sin gluten
1 cucharadita de levadura en polvo
2 cucharaditas de ron (si le gusta)
1 cucharadita de canela
125 g de avellanas molidas
1 pizca de sal
azúcar en polvo para espolvorear
papel de horno y mantequilla para el molde

PREPARACIÓN: 40 minutos
HORNEADO: 45 minutos

1. Precalentar el horno. Cubrir el molde con papel para hornear y engrasar ligeramente el borde. Colar las guindas y dejar que escurran. Rallar el chocolate.

2. Batir la mantequilla con el azúcar. Separar los huevos. Añadir las yemas una detrás de otra. Mezclar la harina con la levadura y añadir ron, canela, avellanas y chocolate rallado para hacer la masa.

3. Batir las claras y añadirlas a la masa. Colocar la masa en el molde. Repartir las guindas escurridas por encima y hundirlas en la masa. Hornear durante unos 45 minutos a 220°.

4. Sacar del molde y dejar enfriar sobre una rejilla. Espolvorear con azúcar antes de servir.

SUGERENCIA

La tarta se puede preparar tranquilamente el día antes de consumirla.

Valores nutricionales por ración:

390 kcal • **5 g** proteínas • **27 g** grasas • **33 g** carbohidratos

Tarta de limón

INGREDIENTES PARA 1 MOLDE DE 26 cm DE Ø (12 RACIONES)

200 g de mantequilla
200 g de azúcar
4 huevos
1 cucharada de piel de limón rallada
250 g de harina blanca sin gluten
2 cucharaditas de levadura en polvo
1 pizca de sal
4 limones
100 g de azúcar en polvo
papel para hornear y mantequilla para el molde

PREPARACIÓN: 30 minutos
HORNEADO: 35 minutos

1. Precalentar el horno. Cubrir el molde con papel para hornear y engrasar ligeramente el borde. Batir la mantequilla con el azúcar. Separar los huevos y añadir las yemas lentamente junto con la piel de limón. Verter la harina y la levadura sobre la masa y remover bien.

2. Batir las claras con sal y añadirlo cuidadosamente a la masa. Llenar el molde con la masa y alisar la superficie. Hornear durante 30-35 minutos a 200° hasta que se dore.

3. Exprimir los limones y mezclar el zumo con azúcar en polvo. Estando la tarta aún caliente, hacerle muchos agujeros con un palito de madera. Untarla con el jarabe de limón hasta que absorba todo el líquido. Dejar enfriar sobre una rejilla.

SUGERENCIA

Esta tarta se conserva sabrosa y jugosa durante varios días.

Valores nutricionales por ración:

340 kcal • **3 g** proteínas • **17 g** grasas • **44 g** carbohidratos

Pastel de zanahoria

INGREDIENTES PARA 1 MOLDE DE 26 cm DE Ø (12 RACIONES)

PARA LA MASA

5 huevos
200 g de azúcar
1 pizca de sal
1 pizca de canela
1 pizca de clavo molido
1 cl de aguardiente de cerezas (si le gusta)
200 g de zanahorias
50 g de fécula de patata o de maíz
1 cucharadita de levadura en polvo
120 g de almendras molidas
120 g de avellanas molidas
50 g de pan rallado sin gluten

PARA LA COBERTURA

200 g de azúcar en polvo
2 cucharadas de zumo de limón
2 cucharadas de aguardiente de cerezas (o zumo de limón)
zanahorias de mazapán sin gluten para decorar
papel para hornear y mantequilla para el molde

PREPARACIÓN: 40 minutos

HORNEADO: 45 minutos

1. Precalentar el horno. Cubrir el molde con el papel para hornear, engrasar ligeramente el borde. Separar los huevos. Batir las yemas con 100 g de azúcar, sal, canela, clavo y licor de cerezas.

2. Lavar las zanahorias, pelarlas y rallarlas. Mezclar la fécula con la levadura. Añadir almendras, avellanas y pan rallado; mezclar bien.

3. Batir las claras con el resto del azúcar y añadir a la masa. Llenar el molde con la masa y alisar la superficie. Hornear durante 40-45 minutos a 200º. Sacar el pastel del molde y dejar enfriar sobre una rejilla.

4. Mezclar el azúcar en polvo con zumo de limón y licor de cereza hasta obtener un glaseado espeso. Esparcirlo sobre el pastel cuando ya se haya enfriado. Decorar con las zanahorias de mazapán.

SUGERENCIAS

Este pastel se puede hacer 1-2 días antes de consumirlo. Se mantiene muy jugoso.

Si no consigue zanahorias de mazapán sin gluten, puede hacerlas usted mismo mezclando masa de mazapán con azúcar en polvo y colorantes alimentarios rojo y amarillo. Para el verde puede emplear trocitos de pistachos.

Valores nutricionales por ración:

355 kcal • **7 g** proteínas • **16 g** grasas • **45 g** carbohidratos

Pastel de almendras

INGREDIENTES PARA 1 MOLDE DE 28 cm DE Ø (12 RACIONES)

6 huevos
1 pizca de sal
250 g de azúcar en polvo
1 sobre de azúcar de vainilla Bourbon
1 pizca de canela
1 cucharada de piel de limón rallada
250 g de almendras molidas
1/2 cucharadita de levadura en polvo
unas gotas de zumo de limón
azúcar en polvo para espolvorear
papel para hornear y mantequilla para el molde

PREPARACIÓN: 30 minutos
HORNEADO: 50 minutos

1. Precalentar el horno. Cubrir el molde con papel de hornear, engrasar ligeramente el borde. Separar los huevos. Batir las yemas con la sal y el azúcar en polvo. Añadir vainilla, canela y piel de limón rallada. Mezclar las almendras con la levadura y añadirlo cuidadosamente. Batir las claras con unas gotas de zumo de limón y añadir a la masa.

2. Llenar el molde con la masa. Hornear el pastel durante unos 50 minutos a 200º. Dejar enfriar sobre una rejilla. Espolvorearlo con azúcar en polvo antes de servir.

VARIANTE

El pastel de almendras también resulta muy bueno con cobertura de chocolate. Ésta puede prepararla fácilmente usted mismo: caliente al baño María 150 g de cobertura de chocolate con leche y 2 cucharadas de nata. O emplee un producto ya listo para usar.

También se consigue una buena combinación esparciendo láminas de almendra tostada sobre la cobertura de chocolate cuando ésta ya esté ligeramente seca.

Valores nutricionales por ración:

255 kcal • **7 g** proteínas • **15 g** grasas • **24 g** carbohidratos

Base para tartas

**INGREDIENTES PARA 1 MOLDE
DE 28 cm DE Ø (12 RACIONES)**

200 g de harina blanca sin gluten
60 g de azúcar
1 pizca de sal
1 huevo
90 g de mantequilla fría
harina para la superficie de trabajo
papel para hornear y mantequilla
para el molde

PREPARACIÓN: 20 minutos
HORNEADO: 1 hora

VARIANTES

Esta base se presta
estupendamente para hacer
tartas de manzana, ruibarbo,
grosella, fresa o queso.

1. Precalentar el horno. Cubrir el
molde con papel para hornear y
engrasar ligeramente el borde.

2. Verter la harina sobre la superficie de trabajo. Añadir el azúcar, la
sal y el huevo. Cortar la mantequilla
fría a trocitos y añadirla. Amasar rápidamente todos los ingredientes
hasta conseguir una masa que se
pueda enrollar. Añadir más harina si
hace falta. Envolver con film transparente y guardar en la nevera durante aproximadamente una hora.

3. Cortar la masa a rodajas, colocarlas sobre la superficie de trabajo
espolvoreada con harina y pasar el
rodillo para conseguir una forma redonda homogénea. Colocarla en el
molde y hacer un borde de 2-3 cm.

4. Cubrir la masa con lo que se
desee.

SUGERENCIAS

**Puede desenrollar la masa
directamente sobre el papel
de hornear y colocarla fría en
el molde, entonces dejarla
reposar 30 minutos en frío.**

**Es muy práctico mezclar
1 cucharadita de Fiber-Husk
(semillas de *Psyllium
plantago*) con la harina. Así la
masa es más suave y se puede
trabajar mejor.**

Valores nutricionales por ración:

140 kcal • **1 g** proteínas • **7 g** grasas • **19 g** carbohidratos

Tarta de ruibarbo con crema

**INGREDIENTES PARA 1 MOLDE
DE 28 cm DE Ø (12 RACIONES)**

1 receta de base para tartas
(ver arriba)

PARA EL RECUBRIMIENTO

1 sobre de flan de vainilla en polvo
(para 500 ml de leche)
500 ml de leche
600 g de ruibarbo
125 g de mantequilla
3 cucharadas de azúcar, 3 huevos
papel para hornear y mantequilla
para el molde

PREPARACIÓN: 40 minutos
HORNEADO: 45 minutos

1. Precalentar el horno. Cubrir el
molde con papel de hornear y engrasar ligeramente el borde. Preparar la base según la receta general.

2. Preparar el flan de vainilla con leche siguiendo las instrucciones del
envase y dejar enfriar. Lavar el ruibarbo, pelarlo, cortarlo a dados de
unos 2 cm y escaldarlos con agua
hirviendo. Escurrirlos en un colador.

3. Poner la masa en el molde, formar un borde de 2-3 cm. Colocar
los trozos de ruibarbo sobre la masa. Hornear la tarta durante 20 minutos a 200°.

4. Mientras tanto, batir la mantequilla con el azúcar. Separar los
huevos. Batir las yemas con dos
terceras partes del flan ya frío. (La
mantequilla y el flan deberán estar
aproximadamente a la misma temperatura). Batir las claras y añadirlas. Verter esta masa sobre la tarta
y dejarla en el horno otros 20-25
minutos hasta que la superficie se
dore. Dejar enfriar en el molde durante 10 minutos; desmoldear y
colocar sobre una rejilla para que
se enfríe. Servir fresca.

SUGERENCIA

**El resto del flan puede
consumirse aparte.**

Valores nutricionales por ración:

300 kcal • **4 g** proteínas • **19 g** grasas • **28 g** carbohidratos

Tarta de grosella espinosa

**INGREDIENTES PARA 1 MOLDE
DE 28 cm DE Ø (12 RACIONES)**

1 receta de base para tartas
(ver página 88)

5 claras de huevo

200 g de azúcar

125 g de almendras peladas y
molidas

500 g de grosellas espinosas

papel para hornear y mantequilla
para el molde

PREPARACIÓN: 20 minutos

REPOSO: 1 hora

HORNEADO: 50 minutos

1. Preparar la base de tarta según la receta general. Precalentar el horno. Cubrir el molde con papel para hornear y engrasar ligeramente el borde. Extender la masa y colocarla en el molde. Formar un borde de unos 3 cm.

2. Batir las claras de huevo añadiendo azúcar progresivamente y seguir batiendo hasta obtener una masa espesa. Añadir las almendras.

3. Extender un tercio de la mezcla sobre la masa. Mezclar las grosellas con el resto de la mezcla, extenderla sobre la tarta y alisar. Hornear durante 45-50 minutos a 250° hasta que la tarta esté ligeramente tostada. Dejar enfriar 10 minutos en el molde y luego sobre una rejilla.

SUGERENCIA

Se pueden emplear frutas
congeladas, pero no hay que
atemperarlas previamente.

VARIANTE

En vez de grosellas espinosas
se pueden emplear también
grosellas comunes.

Valores nutricionales por ración:

295 kcal • **5 g** proteínas • **13 g** grasas • **41 g** carbohidratos

Tarta de manzana con canela

**INGREDIENTES PARA 1 MOLDE
DE 28 cm DE Ø (12 RACIONES)**

1 receta de base para tartas
(ver página 88)

2 cucharadas de pan rallado sin
gluten (o avellanas molidas)

5-6 manzanas ácidas

2 huevos

100 g de azúcar

125 g de nata

1 cucharadita rasa de canela

50 g de almendras picadas

mantequilla y papel de hornear
para el molde

PREPARACIÓN: 20 minutos

REPOSO: 1 hora

HORNEADO: 50 minutos

1. Preparar la base de tarta según la receta general. Precalentar el horno. Cubrir el molde con papel para hornear, engrasar ligeramente el borde. Extender la masa, colocarla en el molde y espolvorearla con pan rallado sin gluten.

2. Pelar las manzanas, cortarlas a gajos y disponerlos sobre la masa en forma de abanico. Batir los huevos con azúcar. Añadir la nata y la canela. Agregar las almendras picadas. Esparcir esta mezcla sobre la manzana.

3. Hornear durante 50 minutos a 200°. Dejar 10 minutos en el horno después de apagarlo. Luego, dejar que se enfríe primero 10 minutos en el molde y seguidamente sobre una rejilla.

Valores nutricionales por ración:

260 kcal • **3 g** proteínas • **12 g** grasas • **35 g** carbohidratos

Tarta de Linz

INGREDIENTES PARA 1 MOLDE DE 28 cm DE Ø (12 RACIONES)

200 g de harina blanca sin gluten
150 g de azúcar
1 sobre de azúcar de vainilla
200 g de almendras molidas
1 cucharadita de canela en polvo
1 pizca de clavo molido
1 huevo
2 cl de licor de cerezas (si le gusta)
200 g de mantequilla fría
200 g de confitura de frambuesa
1 yema de huevo
mantequilla para el molde

PREPARACIÓN: 40 minutos
REPOSO: 1 hora
HORNEADO: 1 hora

1. Engrasar el molde. Mezclar harina, azúcar, vainilla, almendras, canela y clavo. Colocarlo sobre una tabla y hacer un hoyo en el centro. Verter en él el huevo, el licor de cerezas, colocar en el borde la mantequilla en copos y amasarlo todo rápidamente con las manos húmedas hasta conseguir una masa homogénea. Envolver esta masa con film de cocina y dejarla reposar en frío durante 1 hora.

2. Precalentar el horno. Extender la mitad de la masa sobre una tabla espolvoreada con harina hasta que tenga un grosor de unos 5 mm, colocarla en el molde y formar un borde de 1 cm de ancho. Esparcir la confitura por encima. Extender el resto de la masa sobre la tabla y, empleando los moldes adecuados, cortar corazones o formas redondas con el borde ondulado. Disponer esos corazones o círculos sobre la confitura y untarlos con yema de huevo.

3. Hornear la tarta de Linz durante aproximadamente 1 hora a 200°. Sacar la torta del molde y colocarla sobre una rejilla para que se enfríe.

SUGERENCIAS

Envuelta en papel de aluminio, la torta de Linz se puede conservar perfectamente durante 1-2 semanas.
Por Navidad se puede decorar con corazones o estrellas.

VARIANTE

En vez de confitura de frambuesa se puede emplear también mermelada de albaricoque: ¡es excelente!

Valores nutricionales por ración:

300 kcal • **1 g** proteínas • **15 g** grasas • **37 g** carbohidratos

Pastas de mantequilla

**INGREDIENTES
PARA UNAS 50 PIEZAS**

150 g de mantequilla
120 g de azúcar en polvo
2 cucharaditas de azúcar de vainilla
1 huevo
70 g de almendras molidas
250 g de harina blanca sin gluten
harina para la superficie de trabajo
papel de hornear para el molde

PREPARACIÓN: 30 minutos
REPOSO: 1 hora
HORNEADO: 8 minutos

1. Cubrir la bandeja con papel para hornear. Batir la mantequilla con azúcar en polvo y vainilla. Añadir el huevo y seguir batiendo 2 minutos. Añadir progresivamente la harina y las almendras. La masa todavía estará demasiado húmeda como para poder trabajarla bien pero no tardará en secarse. Envolverla con film de cocina y guardarla en la nevera durante 1 hora.

2. Precalentar el horno. Extender la masa sobre una tabla espolvoreada con harina hasta que tenga un grosor de aproximadamente 2 mm. Cortar con diversas formas y colocarlas sobre la bandeja del horno. Hornear las pastas durante unos 8 minutos a 200° hasta que se doren. Retirarlas de la bandeja con el papel y dejar que se enfríen.

SUGERENCIA

Si tiene Fiber-Husk, añádale 1 cucharadita a la harina. Así la masa será más fácil de trabajar.

VARIANTE

Unte las pastas con cobertura de azúcar y decórelas con coberturas de colores sin gluten

DISCOS
Cortar círculos iguales de la masa, extraerles un pequeño aro central a la mitad de ellos. Después de hornearlos, cubrir los discos enteros con mermelada de frambuesa y taparlos con los que llevan el agujero central. Espolvorear con azúcar en polvo.

ALMENDRADOS
Colocar un montoncito de almendras picadas en el centro de cada pasta y hornearlas así: son bonitas y muy sabrosas.

HILDAS
Haga pequeñas bolas (de unos 2 cm) con la masa y hágales un hueco en el centro con el mango de una cuchara de cocina. Rellene los huecos con mermelada de grosella.

TERRAZAS
Corte discos de masa de tres tamaños distintos. Después de hornearlos, únalos con crema de cacao de forma escalonada. Puede espolvorear las pastas con azúcar en polvo.

Valores nutricionales por ración:

60 kcal • **1 g** proteínas • **3 g** grasas • **7 g** carbohidratos

Barritas de **pistacho**

**INGREDIENTES
PARA UNAS 50 PIEZAS**

200 g de harina blanca sin gluten
170 g de mantequilla
125 g de azúcar
1 sobre de azúcar de vainilla
100 g de pistachos molidos
100 g de almendras molidas
3 gotas de aceite de almendras
amargas
200 g de glaseado de chocolate
(producto preparado)
20 g de pistachos picados
harina para la superficie de trabajo
papel de hornear para la bandeja

PREPARACIÓN: 40 minutos
REPOSO: 1 hora
HORNEADO: 10 minutos

1. Cubrir la bandeja con papel para hornear. Verter la harina sobre una tabla. Cortar la mantequilla a trocitos, añadirla a la harina junto con el azúcar, la vainilla, los pistachos picados, las almendras y el aceite de almendras amargas. Amasarla rápidamente para hacer la masa. Añadir más harina si hace falta. Envolver en film de cocina y guardar en la nevera durante 1 hora.

2. Precalentar el horno. Extender la masa sobre una tabla espolvoreada con harina y darle un grosor de 0,5 cm. Emplear un cuchillo o una ruedecilla para cortar tiras de 6 x 2 cm. Colocar las tiras sobre la bandeja y hornearlas a 190º durante 9-10 minutos.

3. Dejar enfriar las barritas sobre la bandeja, de lo contrario se romperían. Cubrir hasta la mitad con glaseado de chocolate y espolvorear con pistachos picados.

SUGERENCIA

Las barritas de pistacho se conservan bien en una caja de hojalata.

Valores nutricionales por ración:

95 kcal • **1 g** proteínas • **6 g** grasas • **9 g** carbohidratos

Corazones de limón

**INGREDIENTES
PARA UNAS 40 PIEZAS**

3 yemas de huevo
120 g de azúcar
1 sobre de azúcar de vainilla
5 gotas de aroma de limón
200 g de almendras molidas
100 g de azúcar en polvo + un poco para la superficie de trabajo
2-3 cucharadas de zumo de limón
papel de hornear para la bandeja

PREPARACIÓN: 30 minutos
HORNEADO: 15 minutos

1. Precalentar el horno. Cubrir la bandeja con papel para hornear. Mezclar las yemas con azúcar, vainilla y aroma de limón. Añadir las almendras y amasar todos los ingredientes hasta obtener una masa suave.

2. Extender la masa sobre la tabla espolvoreada con azúcar hasta que tenga un espesor de unos 3 mm. Cortar los corazones y colocarlos sobre la bandeja del horno. Hornear a 180º durante 12-15 minutos.

3. Mezclar el azúcar en polvo con el zumo de limón hasta obtener un glaseado y untar los corazones mientras aún estén calientes. Separarlos del papel y dejar que se enfríen.

SUGERENCIA

Para ahorrar huevos, haga los corazones de limón el mismo día que haga otras pastas en las que le vayan a sobrar yemas, como por ejemplo las pastas de coco y mazapán.

Valores nutricionales por ración:

55 kcal • **1 g** proteínas • **3 g** grasas • **6 g** carbohidratos

Pastas de coco y mazapán

**INGREDIENTES
PARA UNAS 50 PIEZAS**

150 g de coco rallado

4 claras de huevo

300 g de masa de mazapán cruda

200 g de azúcar en polvo

1 cucharadita de piel de limón
rallada

1 cucharada de ron
(o 10 gotas de aroma de ron)

5 cucharadas de azúcar

200 g de glaseado de chocolate
(producto preparado)

papel de hornear para la bandeja

PREPARACIÓN: 40 minutos

HORNEADO: 20 minutos

1. Precalentar el horno. Cubrir la bandeja del horno con papel para hornear. Espolvorear el coco rallado sobre una bandeja de horno y secarlo durante unos 15 minutos a 100°. Dejar enfriar.

2. Batir las claras. Cortar el mazapán a pedacitos y añadirlo a las claras junto con azúcar en polvo, piel de limón y ron. Mezclar bien. Añadir el coco rallado y amasar todos los ingredientes hasta conseguir una masa fluida.

3. Con dos cucharitas, colocar pequeños montones de masa sobre la bandeja. Espolvorear las pastas con azúcar. Hornearlas a 180° durante unos 20 minutos, hasta que su superficie adquiera un tono marrón dorado. Dejar enfriar sobre una rejilla.

4. Fundir el glaseado de chocolate en un recipiente al baño María y decorar las pastas con él: se pueden cubrir las pastas hasta la mitad con el glaseado, o llenar con él una bolsa de plástico, cortarle una pequeña esquina y decorarlas con dibujos.

Valores nutricionales por ración:

90 kcal • **1 g** proteínas • **5 g** grasas • **11 g** carbohidratos

Pastas de avellanas

**INGREDIENTES
PARA UNAS 40 PIEZAS**

3 claras de huevo

1 pizca de sal

150 g de azúcar

250 g de avellanas molidas

papel de hornear para la bandeja
del horno

PREPARACIÓN: 25 minutos

REPOSO: 4 horas

HORNEADO: 20 minutos

1. Cubrir la bandeja del horno con el papel. Batir las claras con la sal. Añadir la mitad del azúcar y seguir batiendo hasta que la masa brille. Agregar el resto del azúcar.

2. Mezclar las avellanas con las claras. Tomar porciones con dos cucharitas y colocarlas sobre la bandeja del horno. Dejar que se sequen a temperatura ambiente durante 3-4 horas.

3. Precalentar el horno. Hornear las pastas a 175° durante 15-20 minutos. Dejarlas enfriar sobre una rejilla.

VARIANTES

Sustituya las avellanas molidas por nueces, almendras o copos de coco. También puede aromatizar las pastas con canela, vainilla, aceite de almendras amargas, mantequilla, piel de limón rallada o trocitos de chocolate.

Valores nutricionales por ración:

57 kcal • **1 g** proteínas • **4 g** grasas • **4 g** carbohidratos

Lunas de mazapán

**INGREDIENTES
PARA UNAS 40 PIEZAS**

500 g de masa de mazapán
150 g de azúcar
2 claras de huevo
1 cucharada de piel de limón
rallada
10 gotas de aceite de almendras
amargas
100 g de láminas de almendras
200 g de glaseado de chocolate
papel de hornear para la bandeja

PREPARACIÓN: 30 minutos
HORNEADO: 15 minutos

1. Precalentar el horno. Cubrir las bandejas del horno con papel para hornear. Mezclar el mazapán con azúcar, claras, piel de limón y aceite de almendras amargas hasta hacer una masa. Con los dedos húmedos, hacer rollitos de unos 6 cm de longitud. Colocar las almendras troceadas en un plato, rebozar los rollitos con ellas y darles forma curvada.

2. Colocar las lunas sobre la bandeja del horno y hornearlas a 200º durante 12-15 minutos hasta que se doren. Dejar enfriar sobre una rejilla.

3. Deshacer el glaseado de chocolate al baño María y untar con él las puntas de las lunas.

VARIANTE

Sustituya las almendras por pistachos picados.

SUGERENCIAS

Las lunas también puede hacerlas el doble de grandes, pero entonces necesitan un horneado de 20 minutos.

Si las guarda en una lata se conservarán por lo menos una semana.

Valores nutricionales por ración:

115 kcal • **2 g** proteínas • **6 g** grasas • **13 g** carbohidratos

Pan de chocolate

**INGREDIENTES
PARA UNAS 40 PIEZAS**

250 g de chocolate bitter
250 g de mantequilla
150 g de azúcar
6 huevos
250 g de almendra molida
3 cucharadas de harina blanca sin gluten
200 g de glaseado de chocolate
papel de hornear para la bandeja

PREPARACIÓN: 25 minutos
HORNEADO: 45 minutos

1. Precalentar el horno. Cubrir la bandeja con papel para hornear. Fundir el chocolate al baño María. Dejar que se enfríe un poco.

2. Batir la mantequilla con el azúcar, añadir los huevos progresivamente. Añadir almendras, chocolate líquido y harina. Mezclar bien. Extender la masa sobre la bandeja preparada, dar un grosor de 1,5-2 cm y hornear a 175º durante 40-45 minutos. Dejar enfriar sobre la bandeja.

3. Fundir el glaseado de chocolate al baño María y cubrir el pan de chocolate con él. Cortar a rectángulos de unos 4×6 cm.

SUGERENCIA

En vez de almendras molidas se pueden emplear avellanas molidas.

Valores nutricionales por ración:

170 kcal • **3 g** proteínas • **14 g** grasas • **9 g** carbohidratos

Nidos de avispas

**INGREDIENTES
PARA UNAS 100 PIEZAS**

250 g de almendras cortadas a láminas

200 g de azúcar

4 claras de huevo

1 pizca de sal

1 cucharada de piel de naranja rallada

150 g de virutas de chocolate

papel de hornear para las bandejas

PREPARACIÓN: 45 minutos

REPOSO: 1 hora

HORNEADO: 20 minutos

1. Cubrir las bandejas del horno con papel para hornear. Colocar las almendras en una sartén con 100 g de azúcar y 2 cucharadas de agua y dorarlas ligeramente sin dejar de remover. Dejarlas enfriar.

2. Batir las claras, añadirles 100 g de azúcar, sal y piel de naranja. Añadir las virutas de chocolate y las almendras ya frías. Mezclar bien. Tomar porciones de masa con una cucharita y colocarlas sobre las bandejas. Dejar que se sequen durante 1 hora.

3. Precalentar el horno. Hornear los nidos de avispas a 175º durante 20 minutos. Retirarlos de las bandejas con el papel y dejar que se enfríen.

Valores nutricionales por ración:

30 kcal • **1 g** proteínas • **2 g** grasas • **3 g** carbohidratos

Medallones de nueces

**INGREDIENTES
PARA UNAS 50 PIEZAS**

100 g de chocolate bitter

200 g de nueces molidas

50 g de almendras molidas + un poco para la superficie de trabajo

200 g de azúcar en polvo

1/2 cucharadita de canela

1/2 cucharadita de clavo en polvo

2 claras de huevo

1 cucharada de licor de cereza (el que lo desee)

2 cucharadas de azúcar integral de caña

50 medias nueces

papel de hornear para las bandejas

PREPARACIÓN: 30 minutos

REPOSO: 2 horas

HORNEADO: 10 minutos

1. Cubrir las bandejas con papel para hornear. Rallar el chocolate bien fino. Mezclarlo con las nueces y almendras molidas, azúcar en polvo, canela y clavo.

2. Batir las claras, pero no demasiado, y añadirles la mezcla de chocolate y el licor de cereza hasta obtener una masa consistente. Añadir más almendras molidas si es necesario.

3. Espolvorear la tabla de trabajo con azúcar en polvo, colocar la masa y hacer 3 rollos de unos 3 cm de diámetro. Envolverlos por separado en film de cocina y guardarlos en la nevera durante 2 horas.

4. Precalentar el horno. Cortar los rollos a medallones de aproximadamente 1 cm de grosor. Colocarlos sobre las bandejas y decorarlos poniendo media nuez en cada uno. Hornear a 220º durante 8-10 minutos. Retirarlos de las bandejas con el papel y dejar que se enfríen.

Valores nutricionales por ración:

80 kcal • **2 g** proteínas • **6 g** grasas • **6 g** carbohidratos

Panecillos de domingo

INGREDIENTES
PARA 12 PANECILLOS

1 cucharada de Fiber-Husk
400 ml de agua tibia
500 g de harina blanca sin gluten
1 sobre de levadura seca
1 cucharadita de azúcar
1 1/2 cucharaditas de sal
30 g de mantequilla
1 cucharada de vinagre de fruta
semillas de amapola, sésamo y
pipas de girasol para espolvorear
papel de hornear para la bandeja

PREPARACIÓN: 30 minutos
REPOSO: 40 minutos
HORNEADO: 30 minutos

1. Verter el Fiber-Husk en 400 ml de agua tibia y dejar reposar durante 10 minutos. Cubrir la bandeja del horno con papel para hornear.

2. Mezclar la harina con levadura, azúcar y sal. Añadir el agua con Fiber-Husk, la mantequilla y el vinagre de fruta; amasar hasta obtener una masa suave y uniforme. La masa deberá separarse fácilmente del recipiente. Añadir más harina si es necesario.

3. Con una espátula húmeda, cortar la masa en 12 trozos iguales. Dar forma a los panecillos con las manos húmedas. Colocarlos sobre la bandeja del horno y espolvorearlos con las semillas. Dejar que suban en el horno caliente durante 25-30 minutos (ver sugerencias). Hornearlos a 225° durante unos 30 minutos hasta que se doren. Al sacarlos del horno, colocarlos sobre una rejilla para que se enfríen.

SUGERENCIAS

La masa sin gluten necesita mucha humedad para poder subir. Es aconsejable hacer lo siguiente: calentar el horno brevemente hasta 50 °C y luego apagarlo (unos 35 °C). Colocar los panecillos sobre la bandeja, o el pan en su molde, introducirlos en el horno y colocar encima una rejilla con un paño de cocina húmedo. ¡No olvidarse de sacar el paño antes de hornear!

Cuando vaya a dar forma a los panecillos con las manos, tenga a mano un recipiente con agua para poder mojárselas con frecuencia.

FIBER-HUSK

El Fiber-Husk (semillas de zaragatona)hace que la masa sea especialmente suave y es un buen hidratante. Absorbe mucha agua y la retiene mejor en la masa sin gluten. Así el pan no se seca tan pronto. El Fiber-Husk hace muy poco tiempo que se emplea en la cocina sin gluten.

Valores nutricionales por ración:

205 kcal • **2 g** proteínas • **6 g** grasas • **36 g** carbohidratos

Panecillos integrales o pan integral

**PARA 12 PANECILLOS O
1 MOLDE ALARGADO DE 28 cm**

500 g de harina de 4 cereales
50 g de semillas de lino
50 g de salvado de arroz
150 g de masa seca agria
1 sobre de levadura en polvo
1 cucharadita de sal marina
1 cucharadita de azúcar
de caña integral
1 cucharada de aceite de oliva
550 ml de agua tibia
pipas de girasol para espolvorear
papel de hornear para la bandeja
grasa para el molde

PREPARACIÓN: 30 minutos

REPOSO: 30 minutos

HORNEADO: 30 minutos

1. Cubrir la bandeja con papel de hornear o untar el molde con grasa. Mezclar la harina de 4 cereales con semillas de lino, salvado de arroz, masa agria, levadura en polvo, sal y azúcar. Añadir aceite y agua para conseguir una masa no demasiado compacta.

2. Con las manos húmedas, dar forma a 12 panecillos o colocar la masa en el molde. Espolvorear con pipas de girasol y apretarlas un poco. Colocar los panecillos o el pan en el horno caliente y dejarlos unos 30 minutos para que la masa suba (ver sugerencias de la página 104).

3. Sacar del horno y precalentarlo. Hornear a 250° durante unos 10 minutos. Reducir la temperatura a 225° y dejar otros 10-20 minutos más. Después de hornear, sacar el pan del molde. Dejar que los panecillos se enfríen sobre una rejilla.

VARIANTE

La masa también se puede espolvorear con sésamo, semillas de amapola o copos de trigo negro.

Valores nutricionales por ración:

245 kcal • **7 g** proteínas • **6 g** grasas • **40 g** carbohidratos

Panecillos sin levadura

**INGREDIENTES
PARA 10 PANECILLOS**

250 g de harina blanca sin gluten
2 cucharaditas de polvos para hornear
1/2 cucharadita de sal
150 g de requesón dietético
6 cucharadas de leche
1 huevo pequeño
6 cucharadas de aceite de oliva
semillas de amapola, sésamo o pipas de girasol para espolvorear
papel de hornear para la bandeja

PREPARACIÓN: 20 minutos

REPOSO: 30 minutos

HORNEADO: 25 minutos

1. Mezclar la harina con el polvo para hornear (tartárico) y la sal. Mezclar la leche, el huevo y el aceite, añadir la harina y amasar. Añadir un poco más de harina si hace falta. Envolver la masa en film de cocina y dejarla reposar en la nevera durante 30 minutos.

2. Precalentar el horno. Cubrir la bandeja con papel para hornear. Corte la masa en 10 partes iguales. Dar forma a los panecillos con las manos húmedas, hacerles dos cortes en cruz con un cuchillo afilado y colocarlos en la bandeja. Espolvorear con semillas de amapola, sésamo o pipas de girasol. Apretar un poco las semillas.

3. Hornear los panecillos a 200° durante unos 25 minutos. Al sacarlos del horno, colocarlos sobre una rejilla para que se enfríen.

VARIANTE

También se pueden hacer panecillos dulces: añada a la masa 1 pizca de sal, 6 cucharadas de azúcar y 1 cucharadita de piel de limón rallada. También puede añadir 50 g de pasas. Antes de meter los panecillos en el horno, úntelos con yema de huevo.

Valores nutricionales por ración:

200 kcal • **5 g** proteínas • **10 g** grasas • **23 g** carbohidratos

Panecillos blancos o pan blanco

**INGREDIENTES
PARA 12 PANECILLOS O
1 MOLDE DE PAN ALARGADO
DE 24 cm**

1 cucharadita de Fiber-Husk
(semillas de zaragatona)
450 ml de agua tibia
500 g de mezcla de harina sin
gluten para pan blanco
1 sobre de levadura seca
1 cucharadita de azúcar
3 cucharadas de aceite de oliva
papel de hornear para la bandeja
grasa para el molde

PREPARACIÓN: 20 minutos
REPOSO: 40 minutos
HORNEADO: 50 minutos

1. Verter el Fiber-Husk en 450 ml de agua tibia y dejar reposar durante 10 minutos. Cubrir la bandeja del horno con papel para hornear o engrasar el molde.

2. Mezclar la harina con la levadura y el azúcar. Añadir 1 cucharada de aceite y el Fiber-Husk, amasar hasta conseguir una masa no demasiado compacta y que se deje trabajar bien.

3. Con las manos húmedas, dar forma a 12 panecillos del mismo tamaño o colocar la masa en el molde. Colocar los panecillos o el pan en el horno caliente durante 30-40 minutos para que suba la masa (ver sugerencias de la página 104) y se duplique su volumen.

4. Sacar la bandeja del horno y precalentarlo. Hornear los panecillos o el pan a 225° durante unos 40 minutos. Untar luego con 2 cucharadas de aceite de oliva y acabar de hornear durante 10 minutos. Al sacar del horno, colocar el pan o los panecillos sobre una rejilla para que se enfríen.

SUGERENCIA

Es una masa ideal para obtener un estupendo y bonito pan blanco. Con esta masa también se pueden hacer baguettes.

VARIANTE

Para hacer panecillos de girasol, añádale a la masa 30 g de pipas de girasol, unte los panecillos con un poco de nata y espolvoréelos con pipas de girasol. Apretar las pipas suavemente con la mano. Hornear los panecillos durante unos 30 minutos.

Valores nutricionales por ración:

175 kcal • **1 g** proteínas • **3 g** grasas • **35 g** carbohidratos

Pan de patata

INGREDIENTES PARA 1 MOLDE ALARGADO DE 28 cm (20 REBANADAS)

1 terrón de levadura (42 g)
1 cucharadita de azúcar
150 g de suero de leche tibio (o agua)
200 g de patatas hervidas harinosas (preferiblemente del día anterior)
500 g de harina rústica sin gluten
1 cucharada de sal
300 ml de agua tibia
2 cucharadas de aceite
grasa para el molde

PREPARACIÓN: 45 minutos
REPOSO: 30-40 minutos
HORNEADO: 1 hora

1. Triturar la levadura, mezclarla bien con azúcar y suero de leche y dejar reposar 10 minutos.

2. Engrasar ligeramente el molde. Pelar las patatas hervidas el día anterior y chafarlas bien. Añadirles harina, sal, agua y levadura con suero de leche; amasar hasta conseguir una masa homogénea. Añadir el aceite. Colocar la masa en el molde y alisar con una espátula humedecida. Dejar en el horno caliente durante 30-40 minutos para que suba la masa (ver sugerencias de la página 104).

3. Sacar el molde del horno. Precalentar el horno. Hornear el pan a 225° durante aproximadamente 1 hora. Al sacarlo del horno, desmoldearlo y colocarlo sobre una rejilla de cocina para que se enfríe.

VARIANTE

El pan resultará más sabroso y aromático si a la masa se le añaden
50 g de pipas de girasol,
50 g de copos de trigo negro o
50 g de nueces picadas

Valores nutricionales por ración:

110 kcal • **1 g** proteínas • **2 g** grasas • **22 g** carbohidratos

Pan de arroz

INGREDIENTES PARA 1 MOLDE ALARGADO DE 24 cm (16 REBANADAS)

1 terrón de levadura (42 g)
1 cdta. de azúcar de caña integral
400 ml de agua tibia
250 g de harina de arroz integral
150 g de fécula de patata
100 g de salvado fino de arroz
2 cucharaditas de harina de algarroba
1 cucharadita de sal
1 cucharadita de vinagre de manzana
2 cucharadas de aceite de oliva para untar
grasa para el molde

PREPARACIÓN: 30 minutos
REPOSO: 40 minutos
HORNEADO: 1 hora

1. Mezclar la levadura con el azúcar y 100 ml de agua tibia, remover y dejar reposar unos minutos hasta que empiecen a formarse burbujas. Engrasar el molde.

2. Mezclar la harina de arroz con el almidón de patata, el salvado de arroz, la harina de algarroba y la sal. Añadir el agua con levadura, el vinagre y 300 ml de agua. Amasarlo todo, a ser posible, con una máquina de amasar.

3. Colocar la masa en el molde y alisarla con una espátula humedecida. Dejarla durante 30-40 minutos en el horno caliente para que suba (ver sugerencias).

4. Sacar el molde del horno. Precalentar el horno y hornear el pan a 225°. Sacarlo al cabo de unos 50 minutos, untarlo con aceite y hornearlo unos 10 minutos más. Después, sacarlo del molde y colocarlo sobre una rejilla para que se enfríe.

VARIANTE

El que lo desee, puede añadirle a la masa 50 g de semillas de lino, de pipas de girasol o de nueces picadas. Entonces hay que emplear 50 ml más de agua.

Valores nutricionales por ración:

125 kcal • **2 g** proteínas • **2 g** grasas • **26 g** carbohidratos

Pan mixto de yogur rústico

INGREDIENTES PARA 1 PAN ALARGADO (20 REBANADAS)

400 g de mezcla de harinas rústica
100 g de harina de trigo negro
1 cucharadita de azúcar
1 sobre de levadura seca
2 cucharaditas de sal
50 g de semillas de lino
50 g de pipas de girasol
200 g de yogur
250 ml de agua tibia
4 cucharadas de aceite de oliva
papel de hornear para la bandeja

PREPARACIÓN: 30 minutos
REPOSO: 40 minutos
HORNEADO: 1 hora

1. Mezclar los dos tipos de harina con azúcar, levadura en polvo, sal, semillas de lino y pipas de girasol; mezclar bien. Cubrir la bandeja del horno con papel para hornear.

2. Batir el yogur con agua y 2 cucharadas de aceite. Calentarlo un poco (a unos 35 °C) y añadirlo a la mezcla de harina. Amasar bien todos los ingredientes –preferiblemente a máquina– hasta conseguir una masa suave y uniforme.

3. Darle a la masa la forma de un pan alargado y colocarlo sobre la bandeja. Hacerle algunos cortes con un cuchillo afilado y dejarlo unos 30-40 minutos en el horno caliente (ver sugerencias de la página 104).

4. Sacar el pan del horno. Precalentar el horno. Hornear el pan a 250° durante 10 minutos. Bajar la temperatura a 225° y seguir horneando 40 minutos más. Untar el pan con 2 cucharadas de aceite y acabar de hornearlo durante 10 minutos. Al sacarlo del horno, colocarlo sobre una rejilla para que se enfríe.

SUGERENCIA

Para conseguir un pan libre de lactosa, emplee yogur sin lactosa.

VARIANTE

En vez de harina de trigo negro puede emplear harina de castañas. Así le proporcionará un toque más fuerte.

Valores nutricionales por ración:

130 kcal • **3 g** proteínas • **4 g** grasas • **21 g** carbohidratos

Pan de amaranto con semillas de lino

**INGREDIENTES PARA 1 MOLDE
ALARGADO DE 30 cm
(22 REBANADAS)**

1 terrón de levadura (42 g)
1 cucharadita de azúcar
550 ml de agua tibia
500 g de harina blanca sin gluten
150 g de amaranto molido
(o harina de trigo negro)
1 cucharadita de sal
100 g de semillas de lino
1 cucharada de vinagre de
manzana
2 cucharadas de aceite de oliva
grasa para el molde

PREPARACIÓN: 30 minutos
REPOSO: 40 minutos
HORNEADO: 1 hora

1. Triturar la levadura, mezclarla con azúcar y 100 ml de agua. Dejar reposar unos minutos hasta que se formen burbujas. Engrasar ligeramente el molde.

2. Mezclar la harina con amaranto, sal, semillas de lino, vinagre de manzana, el agua con levadura y el resto del agua. Amasar hasta conseguir una masa uniforme. Colocar la masa en el molde y alisar con una espátula humedecida. Dejarlo durante 30-40 minutos en el horno caliente para que suba (ver sugerencias de la página 104).

3. Sacar el molde del horno. Precalentar el horno. Hornear el pan a 250º durante 10 minutos. Bajar la temperatura a 225º y hornear 40 minutos más. Untar con el aceite y acabar de hornear durante 10 minutos. Sacar del molde el pan, ponerlo sobre una rejilla y dejar que se enfríe.

SUGERENCIA

Este pan resulta más sabroso recién hecho, pero también se puede conservar: cortarlo a rebanadas, congelarlo y calentarlo en la tostadora cuando sea necesario.

Valores nutricionales por ración:

135 kcal • **3 g** proteínas • **3 g** grasas • **23 g** carbohidratos

Pan de nueces

**INGREDIENTES PARA 1 MOLDE
ALARGADO DE 28 cm
(20 REBANADAS)**

1 terrón de levadura (42 g)
1 cucharadita de azúcar
500 ml de agua tibia
500 g de mezcla de harinas
50 g de semillas de lino peladas
100 g de amaranto molido
(o trigo negro)
2 cucharaditas de sal
5 cucharadas de aceite de girasol
100 g de nueces
grasa para el molde

PREPARACIÓN: 35 minutos
REPOSO: 40 minutos
HORNEADO: 1 hora

1. Triturar la levadura, mezclarla con el azúcar y 100 ml de agua tibia. Dejar reposar unos minutos, hasta que se formen burbujas.

2. Engrasar el molde. Mezclar harina, amaranto, semillas de lino y sal. Añadir el agua con levadura, el resto del agua y 3 cucharadas de aceite. Amasar bien todos los ingredientes, preferiblemente a máquina. Picar las nueces y añadirlas a la masa.

3. Llenar el molde. Alisar con una espátula humedecida. Colocar en el horno caliente y dejarlo 30-40 minutos para que suba (ver sugerencias de la página 104).

4. Sacar el molde del horno. Precalentar el horno. Hornear a 250º durante 10 minutos. Bajar la temperatura a 225º y seguir horneando durante 40 minutos. Untar el pan con 2 cucharadas de aceite y acabar de hornearlo durante 10 minutos. Al sacarlo del horno, colocarlo sobre una rejilla para que se enfríe.

Valores nutricionales por ración:

170 kcal • **3 g** proteínas • **7 g** grasas • **25 g** carbohidratos

Pan

sin mezcla de harinas preparada

INGREDIENTES PARA 1 MOLDE ALARGADO DE 24 cm (16 REBANADAS)

1 sobre de levadura en polvo
1 cucharadita de azúcar
400 ml de agua tibia
200 g de harina de arroz
150 g de fécula de maíz
150 g de harina de trigo negro
2 cucharaditas de harina de algarroba
1 1/2 cucharaditas de sal
1 cucharadita de vinagre de manzana
2 cucharadas de aceite de oliva para untar
grasa para el molde

PREPARACIÓN: 30 minutos
REPOSO: 30–40 minutos
HORNEADO: 1 hora

1. Mezclar la levadura con el azúcar y deshacer en 100 ml de agua tibia. Dejar reposar unos minutos hasta que se formen burbujas. Engrasar el molde

2. Mezclar la harina de arroz con fécula de maíz, harina de trigo negro, harina de algarroba y sal. Añadir el agua con levadura, el vinagre y 300 ml de agua tibia. Amasar bien durante por lo menos 3 minutos, preferiblemente a máquina.

3. Colocar la masa en el molde y alisarla con una espátula humedecida. Colocar el pan en el horno caliente y dejarlo 30-40 minutos para que la masa suba (ver sugerencias de la página 104). La masa deberá aumentar su volumen en un tercio.

4. Sacar el molde del horno. Precalentar el horno. Hornear el pan a 250° durante 10 minutos. Bajar la temperatura a 225° y seguir horneando durante 40 minutos. Untar el pan con aceite y acabar de hornear durante 10 minutos. Al sacarlo del horno, extraerlo del molde y colocarlo sobre una rejilla para que se enfríe.

SUGERENCIAS

La mezcla de harinas puede hacerla a su gusto, por ejemplo, empleando harina de maíz, fécula de patata, harina de trigo negro, de amaranto, de castañas, de millo, de quinoa, de tapioca, etc. El total deberá sumar 500 g, y además habrá que emplear un aglutinante como la harina de algarroba.

El vinagre de manzana ayuda a que la masa suba. En vez de agua del grifo se puede emplear también agua mineral con gas carbónico, suero de leche o yogur.

El pan resultará más sabroso si le añade 30 g de nueces, pipas de girasol o semillas de lino.

Valores nutricionales por ración:

130 kcal • **2 g** proteínas • **2 g** grasas • **26 g** carbohidratos

Mi pan favorito

INGREDIENTES PARA 1 MOLDE DE PAN REDONDO DE 30 cm DE Ø (22 REBANADAS)

1 terrón de levadura (42 g)
1 cucharadita de azúcar
530 ml de agua tibia
500 g de harina blanca sin gluten
50 g de harina de trigo negro
50 g de semillas de lino
50 g de copos de millo
50 g de copos de soja
50 g de pipas de girasol
2 cucharaditas de sal
1 cucharada de vinagre de manzana
3 cucharadas de aceite de oliva
grasa para el molde
pan rallado sin gluten para trabajar

PREPARACIÓN: 30 minutos
REPOSO: 40 minutos
HORNEADO: 1 hora

1. Triturar la levadura y mezclarla con el azúcar y 100 ml de agua tibia. Dejar reposar unos minutos hasta que aparezcan burbujas. Engrasar el molde y espolvorearlo con pan rallado sin gluten.

2. Mezclar la harina con harina de trigo negro, semillas de lino, copos de millo, copos de soja, pipas de girasol y sal. Añadir el agua con levadura, el vinagre de manzana, 1 cucharada de aceite y el resto del agua, amasar bien durante 5 minutos, preferiblemente a máquina.

3. Colocar la masa en el molde. Alisar con una espátula humedecida. Colocar en el horno caliente y dejarlo durante 30-40 minutos para que suba (ver sugerencias de la página 104). La masa deberá duplicar su volumen.

4. Sacar el molde del horno. Precalentar el horno. Hornear el pan a 225° durante 50 minutos. Untarlo luego con 2 cucharadas de aceite y acabar de hornearlo durante 10 minutos. Al sacarlo del horno, extraerlo del molde y colocarlo sobre una rejilla para que se enfríe.

SUGERENCIA

Si elabora este pan en una máquina automática necesitará 650 ml de agua.

VARIANTE

¡Haga un excelente pan de nueces! En vez de 530 ml de agua, emplee 270 ml d agua tibia y 260 ml de suero de leche. Sustituya las pipas de girasol por 50 g de nueces picadas.

Valores nutricionales por ración:

145 kcal • **3 g** proteínas • **4 g** grasas • **23 g** carbohidratos

Guía de alimentos .

Alimentos	Prohibidos
Cereales	Trigo, centeno, avena, cebada, grano verde, carraón, espelta
Productos elaborados con cereales	Bollería, sémola, copos, salvados, pastas y germinados de los cereales citados más arriba. Harina para rebozar, pan rallado, muesli, mezclas preparadas, palomitas y copos de maíz que puedan incluir aditivos con gluten
Verduras	Verduras congeladas y conservas de verduras con aditivos
Tubérculos y legumbres	Productos de patata, como masa de patata preparada, croquetas, purés, ensaladas preparadas, patatas fritas congeladas, chips
Platos preparados, congelados, conservas	Todos los platos preparados y alimentos industriales, salsas, sopas, postres, dulces y productos de patata
Nueces y semillas	–
Fruta	Fruta preparada y rellenos de fruta con aditivos, fruta confitada, frutos secos sulfatados
Huevos	–
Leche y productos lácteos	Productos lácteos con aditivos, preparados de fruta o cereales, bebidas lácteas, productos lácteos bajos en grasas, queso fundido, queso con corteza de cereales, queso *light*, mantequilla con hierbas.
Carne y productos cárnicos	Productos cárnicos tales como embutidos, patés, salchichas, croquetas, rellenos de carne, carne rebozada, carne con salsa
Pescado y marisco	Productos a base de pescado, conservas, pescado rebozado, barritas de pescado, croquetas de pescado, surimi
Grasas y aceites	Aceites, margarinas o mantequillas con aditivos con gluten, mayonesa, productos bajos en grasas, productos *light*
Para untar el pan	Crema de cacao, cremas que contengan gluten
Bebidas	Café soluble, café de cereales, malta, bebidas a base de café, cacao, bebidas lácteas, café o cacao de máquinas expendedoras, infusiones aromatizadas, cerveza y otras bebidas con malta, refrescos, colas, bebidas de zumo de frutas con fibra, zumos con aditivos, licores, whisky
Dulces, tentempiés y aperitivos	Aperitivos a base de patata o maíz, productos caramelizados, productos con cobertura, dulces, golosinas, bombones, chocolate, mazapán, regaliz, helados, ositos de goma, caramelos, grageas, cremas, flan, turrones, coberturas
Productos *light*	Todos los productos *light*
Aditivos	Todos los aditivos, aromatizantes, conservantes, potenciadores del sabor, espesantes, coberturas para tartas, mezclas de especies, salsas preparadas, caldo de verduras
Varios	Salsa de soja, ketchup, condimento para ensaladas, mostaza, cebollas rebozadas, concentrado de tomate

Cuidado con las medicinas, dentífricos, enjuagues bucales y lápices de labios

Permitidos

Arroz, arroz silvestre, millo, trigo negro, quinoa, amaranto

Pan, bollería, repostería, masa y germinados de los cereales citados más arriba. Productos especiales como pan, bollería, masa o mezclas especiales sin gluten

Todas las verduras y hierbas frescas

Patatas y harina de patata, boniato, tapioca, judías, guisantes, lentejas, soja

Productos elaborados especialmente para dietas sin gluten y señalados como tales

Nueces, avellanas, almendras, castañas, pipas de girasol, pipas de calabaza, sésamo, semillas de amapola, semillas de lino, coco

Todas las frutas frescas, frutos secos sin sulfatar

Todo tipo de huevos, platos de huevo que contengan los cereales permitidos

Todos los productos lácteos sin aditivos o ingredientes que contengan gluten, como los preparados de fruta, suero de leche, siempre que no se tenga intolerancia a la lactosa.

Todo tipo de carnes, aves y caza, asados, jamón cocido o serrano

Pescado fresco o ahumado, conservas de pescado sin aditivos con gluten, marisco fresco

Todos los aceites, mantequilla, manteca, grasa pura, mantequilla de cacahuete, mayonesa pura, o margarina sin aditivos que lleven gluten.

Miel, mermeladas, jarabes, mus de ciruelas, crema de almendras, crema de nueces, sésamo (Tahin), cremas picantes sin ingredientes con gluten ni aditivos

Infusiones puras sin aditivos, zumos puros, café recién hecho, agua mineral, bebida de soja, vino, cava, mosto, cerveza especial sin gluten, aguardiente, ron Arrak, ginebra

Azúcar, colorante de azúcar, productos especiales elaborados sin gluten

Productos especiales elaborados sin gluten

Harina de algarrobas, kuzu, pectina, maranta, vinagre sin mezclas de condimentos o malta, todas las especias puras y sus mezclas, lecitina

Tofu, algas, productos sin aditivos con gluten

Alimentos

Cereales

Productos elaborados con cereales

Verduras

Tubérculos y legumbres

Platos preparados, congelados, conservas

Nueces y semillas

Fruta

Huevos

Leche y productos lácteos

Carne y productos cárnicos

Pescado y marisco

Grasas y aceites

Para untar el pan

Bebidas

Dulces, tentempiés y aperitivos

Productos *light*

Aditivos

Varios

Glosario

Aglutinante para salsas

Muchas veces es necesario espesar las sopas y las salsas. Para ello se puede emplear fécula, harina de arroz o harina sin gluten. Disolver en agua y añadir a la sopa o salsa. Existen espesantes de varias marcas elaborados sin gluten.

Al hacer la compra

En las tiendas de alimentación naturista o biológica encontrará una amplia variedad de productos sin gluten. En Internet también hay tiendas especializadas en alimentos sin gluten. Si hace la compra en el supermercado deberá orientarse por las listas de alimentos que proporcionan las asociaciones de celíacos.

Comer en el avión

Cuando vaya a viajar en avión es necesario que indique sus necesidades en el momento de efectuar la reserva, las compañías aéreas están acostumbradas a estos casos. Sin embargo, en el momento de facturar es mejor que vuelva a insistir en ello. Tampoco estaría de más que llevase algo de pan sin gluten o galletas en su equipaje de mano por si el personal de cabina no tuviese suficiente experiencia y le sirviesen pan con gluten.

Comer en el restaurante

En la mayoría de restaurantes no es ningún problema comer sin gluten. Coménteselo al servicio y diga lo que puede comer y lo que no. Las sociedades de celíacos proporcionan unas listas con lo que está tolerado y lo que no. Hágale llegar esta lista al cocinero. Estas listas se pueden obtener en muchos idiomas, por lo que también resultan útiles al ir de viaje o al acudir a restaurantes exóticos.

Conservación

El pan sin gluten es muy sabroso si se congela por rebanadas y éstas se calientan en la tostadora cuando se vayan a consumir. Pero es imprescindible que lo haga en una tostadora aparte. Conserve el pan sin gluten siempre por separado del que contiene gluten, sea en una bolsa o en una lata.

Espesante

El gluten suele ser el responsable de las buenas características de la harina de trigo; liga la masa y le proporciona elasticidad al pan. En algunos casos, la falta de gluten hace que debamos recurrir a la harina de algarroba o de maranta. Emplee unas 2 cucharaditas para un pan.

Gluten oculto

Vigile los productos tales como polvo para hornear, glaseado de chocolate, especias, aromas, mazapán, etc., ya que muchos de ellos pueden contener malta, fécula de trigo u otros ingredientes con gluten. En las asociaciones de celíacos le indicarán cuáles son los productos que puede emplear.

Guarniciones

Como guarnición se puede emplear arroz, patatas, o pasta sin gluten.

Limpieza

Al cocinar sin gluten hay que extremar las medidas de limpieza, ya que la más mínima cantidad de gluten podría provocar la aparición de los síntomas. Los moldes hay que limpiarlos muy a fondo, pero es mejor emplear unos aparte. Los moldes de silicona son ideales para cocinar sin gluten. Si las bandejas de horno y los moldes se van a emplear también para alimentos normales, es aconsejable cubrirlos con papel para hornear. Los ingredientes sin gluten hay que guardarlos en recipientes cerrados para evitar que puedan contaminarse.

Mezclar harinas uno mismo

Las harinas ya preparadas sin gluten resultan muy útiles y tienen unas propiedades muy similares a las de la harina de trigo normal. Si usted prefiere preparar su propia harina, aquí tiene algunas sugerencias:

> 200 g de harina de maíz, 150 g de harina de arroz, 150 g de fécula de patata
> 200 g de harina de trigo negro, 150 g de fécula de maíz, 150 g de harina de tapioca
> 200 g de harina de arroz, 150 g de harina de amaranto, 150 g de fécula de patata.

A cada una de estas mezclas hay que añadir 2 cucharaditas de espesante, como por ejemplo, zaragatona, harina de algarroba o fécula de maranta (Arrowroot).

Pizza en el restaurante italiano

El hecho de ser celíaco no implica que deba renunciar a disfrutar de una pizza en su restaurante italiano favorito. Lleve su base de pizza con usted y pida que se la preparen a su gusto. Generalmente basta con llamar con antelación para que la cocina esté informada de lo que desea. Una vez en el restaurante, indique que la pizza se la tendrán que hornear en una bandeja bien limpia y que en ningún momento deberá entrar en contacto con harina que contenga gluten.

Postres

Cuando compre helados o dulces asegúrese de que sean sin gluten. En estos casos resultan muy útiles las listas de alimentos que proporcionan las asociaciones de celíacos.

Recetas antiguas

Podrá seguir empleando la mayoría de las recetas que contenían gluten. La harina podrá sustituirla fácilmente por harina sin gluten. Sus características es posible que varíen un poco, ya que la harina sin gluten suele necesitar más líquido. Pero si se añade un aglutinante (espesante) se consigue que sea muy parecida a la normal.

Sin lactosa

Si usted tiene que seguir una dieta sin lactosa, sustituya la mantequilla de las recetas por margarina sin lactosa. En su supermercado habitual encontrará yogures, leche, nata y requesón sin lactosa. La fermentación del queso curado hace que éste contenga muy poca lactosa, en este caso deberá ser usted quien compruebe cuánta lactosa puede tolerar.

Glosario

Sociedades de celíacos

Existen tanto a nivel nacional como en casi todas las comunidades autónomas. Si usted es celíaco le resultará muy útil pertenecer a una de estas asociaciones, ya que las listas de alimentos generalmente sólo se las ofrecen a sus miembros.

Sugerencias para hornear

> Se trabaja mucho mejor si todos los ingredientes están a temperatura ambiente.
> La masa de pan sin gluten hay que hornearla después de que suba por primera vez, ya que la segunda vez suele subir muy mal.
> La masa sin gluten necesita mucha humedad para poder subir bien. Este sistema suele funcionar muy bien: Caliente el horno brevemente a 50 °C y luego apáguelo (a unos 35 °C). Coloque la masa en una bandeja de horno, en el molde o en una fuente, cúbrala con una rejilla del horno y póngale encima un paño de cocina bien húmedo. ¡Pero no se olvide de retirar el paño cuando vuelva a conectar el horno!
> La humedad también es muy importante para el horneado, ya que así el pan no se seca. Coloque en el horno un recipiente a prueba de horno con agua.

> Antes de hornearla, la masa sin gluten puede tener una consistencia muy distinta a la de la masa normal para hacer pan. Si la envuelve en film transparente de cocina le resultará más fácil darle forma.
> El pan sin gluten puede resultar más jugoso si a la masa se le añaden patas hervidas y chafadas.

Zaragatona (Fiber-Husk)

Para que la masa del pan resulte más fácil de trabajar se le suele añadir zaragatona *(Psyllium plantago)* como espesante. La zaragatona se hidrata mucho, retiene mucha agua y la conserva mejor en los productos elaborados con masa sin gluten. La zaragatona son las cápsulas seminales de una planta. Hace poco tiempo que se emplea en la cocina sin gluten, pero sus características son tan notables que ya es uno de los ingredientes habituales de las mezclas de harinas.
Verter 1-2 cucharaditas en el agua necesaria para el pan, remover, dejar reposar 10 minutos y añadir a la masa. Luego se sigue trabajando como de costumbre. La zaragatona molida se comercializa con distintas denominaciones, como por ejemplo Fiber-Husk. Pero también puede adquirirla en la farmacia en estado natural y molerla usted mismo.

Índice de platos
por capítulos

Índice alfabético de recetas

¡Advertencia!

Título de la edición original:
Gessund essen Glutenfrei genießen

Es propiedad, 2005
© **Gräfe und Unzer Verlag GmbH,** Múnich

© de la edición en castellano, 2012:
Editorial Hispano Europea, S. A.
Primer de Maig, 21 - Pol. Ind. Gran Via Sud
08908 L'Hospitalet - Barcelona, España.
E-mail: hispanoeuropea@hispanoeuropea.com

© de la traducción: **Enrique Dauner**

Toda forma de reproducción, distribución, comunicación pública o transformación de esta obra solo puede ser realizada con la autorización de sus titulares, salvo la excepción prevista por la ley. Diríjase al editor si necesita fotocopiar o digitalizar algún fragmento de esta obra.

Depósito Legal: B. 31.388-2012

ISBN: 978-84-255-1700-6

Cuarta edición

Fotografías: Michael Brauner estudió fotografía en Berlín y trabajó de asistente con prestigiosos fotógrafos alemanes y franceses, antes de independizarse en 1984. Su estilo propio y su ambientación son muy apreciados tanto en publicidad como por muchas importantes editoriales. En su estudio de Karlsruhe plasma en imágenes las recetas para muchas guías de esta colección.

Consulte nuestra web:
www.hispanoeuropea.com

IMPRESO EN ESPAÑA   PRINTED IN SPAIN

LIMPERGRAF, S. L. - Mogoda, 29-31 (Pol. Ind. Can Salvatella) - 08210 Barberà del Vallès